LESELUST

Wie unterhaltsam ist die neue deutsche Literatur?

Uwe Wittstock

LESELUST

*Wie unterhaltsam
ist die neue deutsche Literatur?*

Ein Essay

Luchterhand

© 1995 Luchterhand Literaturverlag, München
Umschlaggestaltung: Felix Weinold, München
Gesetzt aus der Adobe Garamond
Typographie: Ina Munzinger, Berlin
Druck & Bindung: Druckerei Wagner, Nördlingen
Alle Rechte vorbehalten. Printed in Germany
ISBN 3-630-87981-0

Inhalt

Für die Lust an der Literatur
Ein Plädoyer
7

Über das Schreiben ohne Gewißheit
Postmoderne in der deutschen Literatur
37

Das souveräne Erzählen und die Hühnerknochen
Sten Nadolny - Poetik der Verantwortung
67

Der Autor, nichts als der Autor
*Christa Wolf und Peter Handke - Vordenker
der Neuen Subjektivität*
91

Planspiele
Ulrich Woelk - Geschichten über Geschichte
115

Vom Duft der Literatur
*Patrick Süskind - und die
deutsche Genieästhetik*
139

Für den gewöhnlichen Leser
Noch ein Plädoyer - und eine Debatte
155

Anmerkungen
175

Autorenregister
187

Nachweise
190

Für die Lust an der Literatur
Ein Plädoyer

> »Der wahre Kunstrichter folgert keine
> Regeln aus seinem Geschmacke, son-
> dern hat seinen Geschmack nach den
> Regeln gebildet, welche die Natur der
> Sache erfordert.«
> Gotthold Ephraim Lessing
> *Hamburgische Dramaturgie*

An schlechten Nachrichten war in den letzten Jahren kein Mangel. Die deutsche Literatur befinde sich in einer Krise, hieß es, sie erleide eine Dürre, durchschreite ein Tal, erlebe eine Zeit des Umbruchs oder des Verfalls – und was der hübschen Metaphern mehr sind. Inzwischen hat man sich offenbar darauf geeinigt, das Requiem als die branchenspezifische Form jenes Klapperns zu betrachten, das zum Handwerk gehört. Manche gehen sogar schon dazu über, aus der regelmäßigen Wiederkehr bedenklicher Diagnosen auf die robuste Verfassung unserer Literatur zu schließen, denn schließlich sei sie trotz aller Hiobsbotschaften immer noch erstaunlich lebendig.

Auf diesem Weg fortzufahren hat wenig Sinn. Deshalb soll am Beginn dieses Plädoyers keine ästhetische Argumentation stehen, keine zeitkritische Reflexion oder medientheoretische Spekulation, sondern eine empirische Beobachtung (die allerdings als Ausgangspunkt einer ästhetischen Argumentation dient). Sie ist weitgehend unbestritten und beunruhigend genug, und sie dokumentiert die vielbeschworene Krise durch Fakten und Zahlen. Im Literaturbetrieb stößt solche Empirie zwar gewöhnlich auf wenig Gegenliebe, da ihr der Ruch eines kulturfernen Materialismus anhaftet, doch sie scheint mir geeignet, diesseits des naturgemäß endlosen und nicht entscheidbaren Streits über Geschmacksurteile den Blick für die Lage unserer Literatur noch einmal zu schärfen. Tatsächlich ist die Situation der deutschsprachigen Schriftsteller, zumal der jüngeren, alles andere als angenehm. Das Interesse an ihrer Arbeit wurde, von wenigen Ausnahmen abgesehen, während der siebziger und achtziger Jahre zunehmend geringer. Zwar genießen zahlreiche Autoren nach wie vor den Respekt der Kritik, doch das Publikum haben die meisten von ihnen verloren. Seit geraumer Zeit sehen sie sich, vor allem wenn sie ihren vierzigsten Geburtstag noch vor sich haben und deshalb meist als jung bezeichnet werden, mit einer schmerzlichen Tatsache konfrontiert: Ihre Bücher erreichen, von einem kleinen Zirkel Eingeweihter abgesehen, niemanden mehr.

Drei- bis viertausend Exemplare eines deutschsprachigen Romans an den Leser zu bringen, gilt heute als ein Ergebnis, das sich sehen lassen kann. Mehr wird als Erfolg gefeiert, weniger ist gerade bei jungen Autoren die Regel. Natürlich betrifft das nicht nur Romane oder Erzählungen. Gedichte, Essays, Kurzprosa oder Theatertexte haben noch schlechtere Aussichten, annehmbare Auflagen zu erzielen. Selbst die Titel namhafter Autoren werden oft schon nach ein paar Monaten so selten von Käufern verlangt, daß die Verlage sie nur mit Hilfe kalkulatorischer Kraftakte lieferbar halten können. Der weitaus größte Teil unserer Gegenwartsliteratur ist schon nach zwei, drei Jahren nicht mehr über den Buchhandel erhältlich, sondern nur noch in wenigen gutbestückten Bibliotheken.

Bemerkenswert ist nun, daß keineswegs alle Schriftsteller von unserer Öffentlichkeit so unfreundlich aufgenommen werden, sondern vornehmlich jene, die deutsch schreiben. Englischsprachige Romane, ob sie nun aus Großbritannien oder den Vereinigten Staaten kommen, aus Irland, Kanada oder Australien, finden hierzulande seit den Nachkriegsjahren mit großer Zuverlässigkeit ihre Leser, ähnliches gilt seit den letzten Jahrzehnten für Romane aus Süd- und Mittelamerika, aus Italien und Spanien, neuerdings auch für erzählende Literatur aus Dänemark oder Holland. So erstaunlich es klingt: Ausländische Autoren schaffen es offensichtlich, bei den hiesigen Lesern mehr Interesse für ihre Arbeit zu wecken als die meisten einheimischen.

Das ganze Ausmaß des Desasters wird sichtbar, sobald man sich ein paar Vergleichsgrößen vor Augen hält. Um auf einen der vorderen Plätze der Bestsellerlisten zu kommen, müssen von einem Titel einige hundert, manchmal über tausend Exemplare pro Tag verkauft werden. Das ist viel, trotzdem gelingt es Woche für Woche etlichen Titeln, denn immerhin gibt es einhundert Millionen Menschen, deren Muttersprache Deutsch ist. Jedoch nur wenige hundertstel Promille davon lassen sich gewöhnlich für den Roman eines deutschen Autors gewinnen; in einer Großstadt wie Frankfurt also keine zwanzig – und das nicht pro Tag, sondern während der gesamten Zeit, in der das Buch erhältlich ist. Dieser Anteil ist so gering, daß er, als Blutalkoholwert eines Autofahrers betrachtet, nicht nur von der Polizei unbeanstandet bliebe, sondern kaum nachweisbar wäre. Wir können also, um im Bild zu bleiben, ziemlich sicher sein, daß unsere Gesellschaft durch die Werke ihrer Schriftsteller nicht so bald trunken werden wird.

Um Mißverständnisse zu vermeiden, möchte ich an zwei Selbstverständlichkeiten erinnern. Erstens: Diese Tatsachen sind kein Anlaß zur Häme. Natürlich macht es Schriftsteller nicht glücklich, wenn ihre Bücher eine sehr überschaubare Zahl von Käufern finden. Sie leiden vermutlich am meisten darunter und haben Spott nicht verdient. Zweitens: Ob das Publikum einem Autor seine Texte aus der Hand reißt oder sie mißachtet, sagt nichts, aber auch gar nichts über deren literarisches Niveau. Die Anekdoten über herausragende Werke, die sich als Ladenhüter erwiesen, sind ungezählt und wohlbekannt – sie müssen nicht noch einmal erzählt werden. Wenn hier von den Bestsellerlisten die Rede ist, dann nicht, um sie als ästhetische Wegweiser zu empfehlen, sondern weil sie eine Bezugsgröße sind, an der sich zeigen läßt, welches Echo Bücher ihrer vielfältigen Medienkonkurrenz zum Trotz heute haben können.

Bedauerlicherweise gerät die deutsche Belletristik offensichtlich auch im Ausland immer mehr in den Ruf, besonders schwierig, unsinnlich und weltfern zu sein – also mehr Lesemühsal zu bereiten als Leselust zu bieten. Das ist, nebenbei bemerkt, vor allem jenen Schriftstellern gegenüber ungerecht, deren Bücher diesem Vorurteil zuwiderlaufen – und diese Ausnahmen sind so selten nicht. Gerade unter den jüngsten Autoren, die oft erst in den neunziger Jahren zu publizieren begannen, gibt es viele, deren Arbeiten sich als Gegenbeispiele anführen lassen – ich werde im folgenden immer wieder auf sie hinweisen. Doch ändert das insgesamt wenig an der beunruhigenden Lage, die es hier zu beschreiben gilt: Selbst im wohlhabenden westlichen Ausland, in Ländern wie Frankreich, England, Italien, den Niederlanden oder den Vereinigten Staaten, mit denen uns ein engmaschiges Netz politischer und kultureller Gemeinsamkeiten verbindet, ist das Interesse an aktueller deutscher Literatur deprimierend gering. Angesichts ihres Images gehen immer weniger Verlage das Risiko ein, sie zu übersetzen.

Diese beklagenswerten Fakten belegen, nüchtern betrachtet, vor allem eins: Zwischen denen, die in Deutschland schreiben, und denen, die lesen wollen, hat sich eine Kluft aufgetan, über die hinweg Verständigung immer schwieriger wird und immer seltener gelingt. Das war nicht immer so. Von jenen Autoren, die in den fünfziger und sechziger Jahren ihre Karriere begannen, wurden einige schnell, manche deutlich vor ihrem vierzigsten Geburtstag zu zentralen Gestalten der deutschsprachigen Literatur: Dazu gehören (ohne Anspruch auf Vollständigkeit) Böll, Andersch, Dürrenmatt, Ilse Aichinger, Arno Schmidt, Lenz, Grass, Frisch, Johnson, Peter Weiss, Martin Walser, Ingeborg Bachmann, Thomas Bernhard; zu den jüngsten dieser Großen zählen die 1929 geborenen Kunert, Enzensberger, Rühmkorf, Christa Wolf und Heiner Müller; und als Nachzügler schließlich Peter Handke. Sie sind bis heute bestimmend für das Profil unserer Gegenwartsliteratur und immerhin so populär, daß selbst Nicht-Leser mit ihren Namen etwas anzufangen wissen (was ebenfalls – auch dies ein Gemeinplatz – nichts über die Qualität ihrer Arbeit sagt). Neun von ihnen sind inzwischen allerdings nicht mehr unter den Lebenden, und alle anderen, mit Ausnahme Handkes, haben das sechzigste Lebensjahr hinter sich.

So ist es wohl nicht verfrüht, sich nach dem Befinden des Nachwuchses zu erkundigen. Doch von denen, die in den siebziger und achtziger Jahren ihre literarische Arbeit begannen, kann man heute einigermaßen unumstritten nur einen zu den weithin wahrgenommenen Stimmen der deutschsprachigen Literatur zählen: Botho Strauß. Selbstverständlich haben neben ihm viele andere Schriftsteller viele gute Bücher geschrieben, doch gelang ihnen nicht, was gemeinhin ein Durchbruch genannt wird – aber eher als ein Ausbruch zu bezeichnen wäre, ein Ausbruch aus dem esoterischen Zirkel der Kenner und Connaisseurs.

Natürlich ist, um das noch einmal zu betonen, Erfolg kein ästhetisches Gütesiegel. Aber Mißerfolg auch nicht, soviel steht fest. Die Epochen der Literaturgeschichte kannten in aller Regel beides, Publikumslieblinge und Außenseiter – und meist waren Talent und Durchschnittlichkeit in *beiden* Lagern anzutreffen. Wenn nun aber die ersteren über zehn, zwanzig Jahre ausbleiben, wird es Zeit, sich Gedanken über die Gründe zu machen.

Ab in die Nische?

Die einschlägige Ursachenforschung zu diesem Thema bemüht, soweit ich sehen kann, regelmäßig fünf Thesen. Jede klingt sehr grundsätzlich, ihr kulturkritischer Gestus ist unverkennbar. Doch einer sachlichen Überprüfung halten sie meines Erachtens nicht stand. Erschwerend kommt ihr durchweg defensiver Charakter hinzu: Sie bemühen sich, die Situation zu erklären und in ein düsteres Gesamtbild einzufügen, aber Auswege zeigen sie nicht. Sie bestätigen den Schriftstellern in einem Atemzug, wie bedeutend und zugleich hoffnungslos ihr Tun ist, wie verdienstvoll und wie antiquiert – und unter der Hand empfehlen sie ihnen, sich schleunigst auf die Suche nach einer, hoffentlich gut subventionierten, Überlebens-Nische im Literaturbetrieb zu machen. Denn behauptet wird:

Erstens: Die Berufswelt ist heute so vereinnahmend und aufreibend, daß wir den Feierabend ausschließlich für die Reproduktion der Arbeitskraft brauchen. Für Bücher bleibt da keine Zeit mehr.

Dies ist, mit Verlaub, ein recht ehrwürdiges Argument, das mittlerweile gut sichtbar Staub angesetzt hat: Es steht allzu deutlich im Widerspruch zu den typischen Terminplanungen in unserer Freizeitgesellschaft. Neben der Studienreise in die Toskana, dem Spanisch-Kurs und den Weekends im Elsaß samt Weinprobe dürfte immer noch Zeit für ein paar Bücher bleiben.

Zweitens: Andere Medien, vor allem die audiovisuellen, verdrängen die Bücher. Die Kulturtechnik des Lesens droht in Vergessenheit zu geraten.

Die eine Behauptung ist nachweislich falsch, die andere zumindest nicht plausibel: Niemals zuvor wurden in Deutschland – Kabel-Fernsehen, Video und Computer zum Trotz – so viele Bücher gekauft wie in den letzten Jahrzehnten. Der Börsenverein des deutschen Buchhandels weist, unbeeindruckt durch die jüngste Rezession, alljährlich Zuwachsraten aus, von denen andere Branchen nur träumen können: Selbst 1993, auf dem Gipfelpunkt der wirtschaftlichen Krise, erhöhte sich der Umsatz um über vier Prozent – berücksichtigt man die steigenden Preise der Bücher, bleibt ein reales Wachstum von fast drei Prozent. Da die Käufer ihr Geld wohl nicht ausgeben, um Autoren und Verlage uneigennützig zu unterstützen, dürfte es um die Kulturtechnik des Lesens so schlecht nicht bestellt sein. Erst unlängst kam eine Studie des Allensbacher Institutes für Demoskopie, die in sieben europäischen Ländern erstellt wurde, zu einem Ergebnis, das die gern zitierten Visionen vom Untergang des Gutenbergschen Zeitalters zumindest zweifelhaft erscheinen läßt: »Noch nie wurde so viel in Büchern gelesen wie heute. Für alle untersuchten Länder, abgesehen von Ungarn, für das keine vergleichbaren Zahlen von früher vorliegen, ist seit 1969 ein erheblicher Anstieg der Leseranteile festzustellen.«[1]

Drittens: In unserer von instrumenteller Vernunft und vom Leistungsdenken beherrschten Zeit werden nur noch Sachbücher, Ratgeber oder Reiseführer gekauft, also Bücher, die nützlich sind und einen Zweck erfüllen. Auf den literarischen Titeln dagegen bleiben die Verlage sitzen, denn die Kunst ist zweckfrei und deshalb für den modernen Konsumenten wertlos.

Träfe diese Annahme zu, müßten ohne Unterschiede immer weniger belletristische Titel gekauft werden. Doch wie gesagt: Die anspruchsvollen Bücher amerikanischer, englischer, italienischer, niederländischer oder lateinamerikanischer Autoren finden bei uns ein deutlich größeres Interesse als die entsprechenden Werke deutschsprachiger Schriftsteller – was als Indiz dafür betrachtet werden kann, daß die mangelnde Resonanz der deutschen Literatur auf hausgemachte Probleme zurückgeht. Außerdem ist nicht einzusehen, weshalb unsere vermeintlich so zweckrationale Gesellschaft nur der Literatur die kalte Schulter zeigen sollte, während andere, ebenso zweckfreie Künste doch offensichtlich florieren: Die Museen verzeichnen Besucherrekorde, die Opernhäuser und die Konzertsäle haben oft auf Monate hinaus keine Karten mehr.

Viertens: Die Fähigkeit zur Konzentration über einen längeren Zeitraum hinweg geht verloren. In unserer reizüberfluteten Gegenwart kann zwar jedes Kind ein Video-Clip begreifen, doch immer weniger Menschen finden Kraft und Ruhe, ein umfangreiches Buch zu lesen.

Folgt man diesem Argument, müßten zur Zeit die knappen literarischen Formen, müßten Lyrik und Kurzprosa Furore machen. Das Gegenteil ist der Fall: Was den Buchhändlern stapelweise aus den Händen gerissen wird, sind fast ausnahmslos dickleibige Romane mit selten weniger als drei- oder vierhundert Seiten, und denen widmen sich die Leser allem Anschein nach mit unerschöpflicher Aufmerksamkeit.

Fünftens: Mit der Literatur ist es wie mit dem Film: Erfolgreich sind nur triviale Produkte. Anspruchsvolle Werke haben gegen diese Konkurrenz keine Chance. Mehr noch: Der Schund der Unterhaltungsindustrie kolonisiert unsere Phantasie in solchem Maße, daß der individuelle, noch fremde Ton eines neuen Autors von vornherein auf betäubte Ohren trifft.

Diese These hat immerhin die Tatsachen auf ihrer Seite. Jeder kann sich mit einem Blick auf die Bestsellerlisten davon überzeugen, daß dort vorwiegend Bücher notiert werden, mit deren Lektüre man bei seinem alten Deutschlehrer wenig Eindruck schinden dürfte. Die pure Unterhaltung, das liegt auf der Hand, hat es einfacher zu reüssieren als die hohe Kunst. Zugegeben, aber ist das nicht eine Binsenweisheit? Anders gefragt: War das nicht immer so? Ich fürchte, daß altbekannte Einsichten wie diese zur Klärung der spezifischen Probleme unserer zeitgenössischen Literatur wenig beitragen. Es sei denn, die Unterhaltungsindustrie (genauer: der Mainstream der Unterhaltungsindustrie, denn auch sie ist kein Monolith und kennt verschiedene Niveaus) hätte in den letzten Jahren gerade hierzulande einen solchen Einfluß entwickelt, daß neben ihr keine eigenwillige Schreibweise mehr Aussicht auf nennenswerte Resonanz hätte. Eine Spekulation von solcher Vagheit ist naturgemäß schwer zu bestreiten – aber auch schwer zu beweisen. Gegen sie spricht, daß in jüngster Zeit sehr wohl eigenwillige Schriftsteller wie Milan Kundera, Gabriel García Márquez, Mario Vargas Llosa, Salman Rushdie oder Cees Nooteboom in Deutschland und weltweit beeindruckende Triumphe feierten.

Der resignative Grundzug der letzten, fünften These ist nicht zu übersehen und für die deutschen Schriftsteller besonders ärgerlich. Da nicht damit zu rechnen ist, daß die Unterhaltungsliteratur irgendwann einmal zu ihren Gunsten verboten wird, müssen sie das Argument als eine indirekte Aufforderung verstehen, das Feld gleich ganz den Trivialautoren zu überlassen und sich mit ihrer Arbeit in einen unter staatlichen Kulturschutz gestellten Winkel zurückzuziehen. Dort dürften sie sich dann angesichts des scheinbar übermächtigen Gegners zutiefst mißverstanden und als Opfer fühlen. Wer das braucht, um sich in profanen Zeiten als Aristokrat des Geistes zu betrachten, dem sei es gegönnt, nur: zwingend ist das nicht. Denn die gewichtige und die ausgesprochen leichtgewichtige Literatur existieren miteinander und nebeneinander, solange es Literatur gibt. Zwar ist die Kunst der Wahrheit verpflichtet und die Unterhaltung nur dem Erfolg – doch haben beide Seiten immer wieder voneinander gelernt und profitiert. Warum sollte das nicht auch heute gelingen?

Der Seitenblick auf die leichteren Musen muß keineswegs, wie viele Kritiker hierzulande reflexhaft unterstellen, zu Lasten der Qualität gehen. Er kann vielmehr – neben einer rigorosen handwerklichen Schule – Anreiz und Ansporn zu noch größeren ästhetischen Anstrengungen sein. Charles Baudelaire, den wohl niemand verdächtigen wird, ein Fürsprecher literarischer Billigprodukte zu sein, hat das einmal so ausgedrückt: »Manch einer von denen, die ich liebe und schätze, ereifert sich angesichts unserer Tagesberühmtheiten, Eugène Sue, Paul Féval – losgelassene Finsterlinge; aber die Begabung dieser Leute mag noch so oberflächlich sein, sie ist nichtsdestoweniger vorhanden, und der Ärger meiner Freunde ist gar nichts oder *noch weniger als nichts* – denn er ist verlorene Zeit, das Wertloseste, was es auf der Welt gibt. Es geht nicht darum, ob die Literatur des Gemüts oder die der Form höher steht als die der Mode. Darüber gibt es, für mich wenigstens, keinen Zweifel. Das ist jedoch nur die halbe Wahrheit, solange einer in dem, was er zur Geltung bringen möchte, nicht ebensoviel Talent beweist wie Eugène Sue in seinen Romanen. Erregt die gleiche Anteilnahme, aber mit neuen Mitteln! Wirkt mit der gleichen und einer noch höheren Kraft in einer entgegengesetzten Richtung! Verdoppelt, verdreifacht, vervierfacht die Dosis, bis sie den gleichen Grad der Verdichtung erreicht hat, und ihr werdet kein Recht mehr haben, den *Bürger* zu lästern, denn der *Bürger* wird auf eurer Seite stehen.«[2]

Prinzip Verführung

Den Ursachen für die Misere der deutschen Literatur kommt man, glaube ich, mit den genannten Thesen nicht näher. Es hat wenig Sinn, die potentiellen Leser literarischer Werke vor seichter Unterhaltungsware oder dem verderblichen Fernsehen beschützen zu wollen: Wem man ein ernst zu nehmendes Buch in die Hand zu legen beabsichtigt, den sollte man auch ansonsten ernst nehmen als urteilsfähigen Erwachsenen, der auf sich selbst aufpassen kann und genau weiß, wann er trotz der Mühen seiner anspruchsvollen Arbeit einen anspruchsvollen Roman lesen möchte und wann er bloße Zerstreuung vorzieht.

Gewiß, es ist nicht allzulange her, daß sich das Publikum an einem pathetischen Kulturbegriff orientierte, der die »Dichtung«, vor allem die »deutsche«, zur Pflichtlektüre erklärte. Es gab einen literarischen Kanon, den zu kennen hatte, wer sich nicht als ungebildet belächeln lassen wollte. Diesem Kanon wurden – mitunter erst nach bewegten Debatten wie dem Zürcher Literaturstreit – neue, zeitgenössische Werke hinzugefügt. Doch das ist Schnee von gestern: Während der Studentenbewegung, spätestens mit dem Beginn der siebziger Jahre, jener merkwürdigen Scheidelinie in der Erfolgsgeschichte der deutschen Nachkriegsliteratur, verschwand jeder Glaube an irgendeine Pflicht zur Lektüre.

Das geschah, nebenbei bemerkt, unter dem nahezu einhelligen Beifall der Schriftsteller und Intellektuellen. Seither gilt auf kulturellem Gebiet strikte Freiwilligkeit – von extremen Daseinsformen wie Schule und Studium einmal abgesehen. Gelesen wird, was gefällt, und nicht, was Lehrer, Germanisten oder Rezensenten dekretieren.

Natürlich ist das alles irgendwie bedauerlich. Natürlich kann, wer will, ein Lamento anstimmen über den Verfall der bürgerlichen Verehrung für die Kunst und unsere so unpoetische Epoche. Tatsächlich tun das viele, aber ich sehe keinen Sinn darin, mich ihrem Chor anzuschließen. Denn zum einen ist das Kind im Brunnen: Wer von unserer Gesellschaft einen anderen Umgang mit der Literatur fordert, träumt von einer anderen Welt. Er plädiert für eine Kulturrevolution, deren Eintreten so unwahrscheinlich ist wie ihr Ausgang ungewiß. Sicher ist nur, daß sie blutig verlaufen würde. Zum anderen hat die gegenwärtige Situation einige höchst bedenkenswerte Aspekte, die wohl die wenigsten missen möchten: Da sich niemand mehr zu irgendeiner Lektüre genötigt fühlen muß, wird zumindest im Bereich der Literatur die individuelle Freiheit respektiert. Unter diesem Blickwinkel betrachtet, wendet sich unser Zeitalter keineswegs von alten bürgerlichen Idealen ab, wie so oft gemutmaßt wird, sondern es verwirklicht sie.

Das Interesse für die Literatur ist keine Bringschuld der Leser – mit diesem Faktum muß rechnen, wer Bücher schreibt. Den Autoren bleibt nichts anderes übrig, als das Interesse des Publikums für ihre Arbeit immer wieder neu zu gewinnen. Niemand kann heute zur Lektüre verpflichtet, aber jeder darf zu ihr verführt werden. Zugegeben, es wäre realitätsfern, hoffte man, wirklich jedermann zu erreichen; auch dem Prinzip Verführung sind Grenzen gesetzt, vermutlich enge. Doch der Kreis derer, die für die Wirkung der Kunst nicht ganz unempfänglich sind, geht mit Gewißheit über die genannten hundertstel Promille hinaus – und es ist nicht einzusehen, weshalb dieser Leserkreis ausgerechnet deutschen Schriftstellern weitgehend verschlossen bleibt, während ausländische häufig genug zum Tagesgespräch avancieren.

Man sollte sich dieses Prinzip Verführung ruhig einmal bildlich vorstellen: An einem Winterabend lehnt sich ein einigermaßen gebildeter, gutwilliger Medienkonsument in seinem Sofa zurück, die Stehlampe brennt, die Zentralheizung rauscht leise, und vor ihm auf dem Couchtisch liegen: ein sogenanntes ›gutes‹ Buch, ein ziemlich blutrünstiger Kriminalroman, die Tageszeitung, eine Illustrierte und der *Spiegel,* dazu noch die Fernbedienungen für den Videorecorder, den CD-Player und das TV-Gerät. Das ist, glaube ich, kein übertriebenes, eher ein recht alltägliches Szenario. Welche Chancen hat nun jenes ›gute‹ Buch, es stammt von einem deutschen Schriftsteller, die Gunst seines Besitzers auf sich zu lenken? Es hat nur eine: Es muß ihm Vergnügen machen.

Die nobelste Funktion: Unterhaltung

Jedes soziale Milieu hat seine Reizthemen – natürlich auch der Kulturbetrieb. Behauptete man, Aufgabe der Literatur sei es, den Leser zu bilden oder zu emanzipieren, die Grenzen der Kunst zu erweitern oder die Zerstörung unserer Welt zu brandmarken, riefe man als Reaktion wenig mehr hervor als ein müdes Nicken. Wer aber hierzulande fordert, Literatur solle Vergnügen machen, darf mit sofortigem, wortreichem Widerspruch rechnen: Er könne die Literatur doch nicht, wird man ihm entgegenhalten, vorm Untergang in die Bedeutungslosigkeit retten, indem er sie in Trivialitäten ersäufe.

Um der Forderung nach mehr Vergnügen bei der Lektüre gleich eine gewisse Respektabilität zu verschaffen, möchte ich einen Gewährsmann zitieren, der nicht gerade als Hallodri der deutschen Literaturgeschichte gilt, Friedrich Schiller:

»Wie sehr auch einige neuere Ästhetiker sichs zum Geschäft machen«, schrieb er vor gut zweihundert Jahren, 1791, »die Künste der Phantasie und Empfindung gegen den allgemeinen Glauben, daß sie auf Vergnügen abzwecken, wie gegen einen herabsetzenden Vorwurf zu verteidigen, so wird dieser Glaube dennoch, nach wie vor, auf seinem festen Grunde bestehen, und die schönen Künste werden ihren althergebrachten unabstreitbaren und wohltätigen Beruf nicht gern mit einem neuen vertauschen, zu welchem man sie großmütig erhöhen will. Unbesorgt, daß ihre auf unser Vergnügen abzielende Bestimmung sie erniedrige, werden sie vielmehr auf den Vorzug stolz sein, dasjenige unmittelbar zu leisten, was alle übrigen Richtungen und Tätigkeiten des menschlichen Geistes nur mittelbar erfüllen. [...] Spielend verleihen sie, was ihre ernstern Schwestern uns erst mühsam erringen lassen; sie verschenken, was dort erst der sauer erworbene Preis vieler Anstrengungen zu sein pflegt. Mit anspannendem Fleiße müssen wir die Vergnügungen des Verstandes, mit schmerzhaften Opfern die Billigung der Vernunft, die Freuden der Sinne durch harte Entbehrungen erkaufen oder das Übermaß derselben durch eine Kette von Leiden büßen; die Kunst allein gewährt uns Genüsse, die nicht erst abverdient werden dürfen, die keine Opfer kosten, die durch keine Reue erkauft werden.«[3]

Das klingt paradiesisch, aber Schiller ist umsichtig genug, seine Worte genau zu definieren. Er unterscheidet im weiteren, wie er es in Kants *Kritik der Urteilskraft* gelesen hat, zwischen dem »Verdienst« der Kunst, auf die beschriebene »Art zu ergötzen«, und »dem armseligen Verdienst, zu belustigen« – und mit dieser Unterscheidung trifft er den Kern des Ganzen. Denn natürlich geht es nicht darum, eine Poetik der puren Vergnüglichkeiten zu propagieren – die würde Kant das nur »Angenehme« nennen –, sondern es geht um eine Literatur, die Vernunft und Sinnlichkeit der Leser auf gleiche Weise anspricht. »Schön ist«, schreibt Kant, was unabhängig von allen Begriffen und Interessen

»als Gegenstand eines notwendigen Wohlgefallens erkannt wird«[4]. Mit anderen Worten: Lust zu erregen ist nicht Zweck der Kunst, denn Kunst dient keinem Zweck. Lust zu erregen gehört vielmehr zu den Wesensmerkmalen der Kunst. Philosophisch sind die Fronten klar: Bei der Beschäftigung mit Kunst muß Lust im Spiel sein, oder die Kunst ist keine. Daß Kunstwerke darüber hinaus noch andere Qualitäten haben, wird damit nicht bestritten.

Jedes Buch mit literarischem Anspruch kann nicht nur unter einem Blickwinkel, sondern unter zahlreichen, oft ganz verschiedenen Aspekten gelesen werden. Der Schriftsteller muß folglich wie ein Jongleur arbeiten, der ganz unterschiedliche Ziel gleichzeitig und mit großer Präzision verfolgt. Ein unabdingbares Ziel dabei: Der Text soll Vergnügen machen – was im übrigen auch, um Schiller ein letztes Mal zu bemühen, durch »tragische Gegenstände« möglich ist. In diesem Punkt scheint es zur Zeit so etwas wie ein Denkverbot zu geben. Natürlich müssen Autoren heute, wie es in jeder zweiten Rezension heruntergebetet wird, einer politisch und sozial sich gründlich verändernden Welt gerecht werden. Aber wer es zugleich versteht, seine Leser zu fesseln, macht damit keinen Fehler. Im Gegenteil: Er ist anderen, denen das nicht gelingt, überlegen, denn er fügt seiner Arbeit eine wesentliche Dimension hinzu. Eine Dimension, die aus privaten Schreibexerzitien überhaupt erst Literatur macht.

Natürlich will die Forderung, auch anspruchsvolle Bücher dürften die Leselust ihres Publikums nicht aus den Augen verlieren, den Lesern schwieriger, exkludierender Texte ihren Spaß nicht verderben. Jedem das Seine. Es geht in diesem Zusammenhang vielmehr darum, mit dem weitverbreiteten Mißverständnis aufzuräumen, die wirklich wichtigen Werke der Dichtung appellierten in erster Linie an den Intellekt und seien nur für den ausgemachten und ausgebildeten Kenner begreiflich. Das ist mit Sicherheit falsch: Viele große Bücher der Literaturgeschichte sind leicht zu lesen, ohne besondere Vorkenntnisse zugänglich und trotzdem unauslotbar.

Jedes Kunstwerk nimmt, sobald es veröffentlicht wird, seinen Platz vor der gesamten Öffentlichkeit ein, und jeder Autor, der sich mit der Publikation seines Buches einverstanden erklärt, adressiert es tendenziell an jedermann. Folglich ist es kein dümmlicher Populismus, sondern liegt in der Natur der Sache, Leser erreichen zu wollen. Gerade die Großen unter den Schriftstellern waren in dieser Hinsicht nicht zimperlich: Cervantes rechnete mit der Freude seiner Zeitgenossen an Rittergeschichten, Shakespeare schrieb seine Dramen mit Blick auf das grölende Publikum der Märkte und Gasthäuser, und Thomas Mann hat es verstanden, für die *Buddenbrooks* (1901) auch die Freunde der Familiensaga zu gewinnen.

Zu den unbezweifelten Glaubenssätzen unseres kulturellen Lebens gehört, daß ein Schriftsteller, der auf sich hält, während seiner Arbeit nicht an seine Leser denken dürfe. Dieses Gebot ist mit Sicherheit viel zu undifferenziert, als daß es einem Autor bei seinem differenzierten Tun und Lassen hilfreich sein könnte. Gewiß muß es Zeiten geben, in denen er Gott und die Welt vergißt. Doch wird es auch Stunden geben, in denen er sich der Welt wieder erinnert. Um es paradox zu formulieren: Ein Schriftsteller sollte an sein Publikum denken und nicht an sein Publikum denken – und das möglichst gleichzeitig. Er muß sein Handwerk beherrschen und sich dennoch selbst überraschen können; und er muß sich, während er sich selbst überrascht, seines Handwerks völlig sicher sein.

Zugegeben, der Begriff *Unterhaltung* hat heute – es wäre naiv, die Augen davor zu schließen – einen dubiosen Klang. Er wird im allgemeinen einer Form des Entertainments zugeordnet, die auf das unreflektierte Behagen des Publikums, auf den kleinsten gemeinsamen Nenner der Belustigung zielt, eben auf das, was Kant als das bloß »Angenehme« bezeichnete. Das Wort läßt, kurz gesagt, an Volksmusikparaden oder Bunte Abende, an Spielshows oder Gameboys denken. Darum kann es in der Literatur nicht gehen, aber der Begriff Unterhaltung geht darin auch nicht auf. Wenn ein Buch unterhaltend ist, muß es keineswegs zerstreuend sein, also den Menschen von sich selbst und allen wesentlichen Gedanken ablenken. Unterhaltsam zu sein kann auch heißen – und so soll es hier verstanden werden –, mit literarischen Mitteln beim Publikum Interesse für ein Thema, Anteilnahme an einer Figur, Neugier auf ein Geschehen oder auch Lust an einem ungewöhnlichen Sprachspiel zu wecken und wachzuhalten. Für welche der zahllosen Formen von Unterhaltung sich ein Autor entscheidet, unterliegt keinem Gesetz, wichtig ist nur, daß er diesen Aspekt seiner Arbeit nicht aus den Augen verliert.

Die Forderung, Literatur müsse das Interesse der Leser gewinnen, oder, schlichter formuliert, Vergnügen bereiten, legt es also – um das noch einmal deutlich zu sagen – nicht darauf an, das Niveau der Literatur zu senken. Es geht vielmehr darum, daß ein literarisch ernst zu nehmendes Buch neben großen ästhetischen Qualitäten auch Unterhaltungsqualitäten haben sollte. Es geht darum, daß die künstlerischen Ansprüche verschmelzen mit dem Anspruch, dem Leser Vergnügen zu bereiten. Folglich wird nicht weniger von den Autoren verlangt, sondern mehr: Sie sollen das eine tun, ohne das andere zu lassen. Einem Könner gelingt das sogar in einer so strengen Disziplin wie der Konkreten Poesie: Ernst Jandl ist der Meister dieser Schule, weil er nicht nur kompromißlos sein Programm verfolgt, sondern mit seinen Versen zugleich dem Leser und Hörer ins Ohr geht, bis er hopst wie Ottos Mops.

Neu sind solche Überlegungen nicht. Ein Klassiker, der einen Satz wie den folgenden an den Anfang einer Erzählung stellt, verläßt sich offenbar nicht allein auf den Bildungswunsch seiner Mitmenschen, sondern rechnet auch auf deren Sensationslust: »An den Ufern der Havel lebte, um die Mitte des sechzehnten Jahrhunderts, ein Roßhändler,

22

namens *Michael Kohlhaas*, Sohn eines Schulmeisters, einer der rechtschaffensten zugleich und entsetzlichsten Menschen seiner Zeit.« Sicher, das ist ein ziemlich reißerischer Auftakt, aber die Schönheit und Genauigkeit von Kleists Erzählung beschädigt er nicht. Genausowenig wie jene Einleitung: »In M..., einer bedeutenden Stadt im oberen Italien, ließ die verwitwete Marquise von O..., eine Dame von vortrefflichem Ruf, und Mutter von mehreren wohlerzogenen Kindern, durch die Zeitungen bekannt machen: daß sie, ohne ihr Wissen, in andre Umstände gekommen sei, daß der Vater zu dem Kinde, das sie gebären würde, sich melden solle; und daß sie, aus Familienrücksichten, entschlossen wäre, ihn zu heiraten.« Wer danach nicht bereit ist, weiter und bis zum Ende zu lesen, dem ist mit literarischen Mitteln nicht zu helfen.

Selbst ein angeblich so betulicher Erzähler wie Gottfried Keller benutzt auf der ersten Seite seines *Grünen Heinrich* einen veritablen Gruseleffekt, um unsere Nerven und Neugier zu kitzeln: Von einem harmlosen Dorffriedhof heißt es da, er bestehe »buchstäblich aus den aufgelösten Gebeinen der vorübergegangenen Geschlechter; es ist unmöglich, daß bis zur Tiefe von zehn Fuß ein Körnlein sei, welches nicht seine Wanderung durch den menschlichen Organismus gemacht und einst die übrige Erde mit umgraben geholfen hat.«

Auch die Klassiker der Moderne arbeiten mit vergleichbaren Mitteln. Kafka zum Beispiel, den man so gern als ernst oder unzugänglich apostrophiert, beginnt eine Geschichte mit den Worten: »Als Gregor Samsa eines Morgens aus unruhigen Träumen erwachte, fand er sich in seinem Bett zu einem ungeheuren Ungeziefer verwandelt.« Sollte irgendwann in Hollywood ein Drehbuch mit diesem Anfangssatz angeboten werden, würden, vermute ich, Steven Spielberg und George Lucas unter den ersten Lesern sein. Denn Kafka hatte, zeitgemäß formuliert, einen gut entwickelten Sinn für *special effects* und deren Wirkung auf das Publikum.

Gleiches gilt für Brecht, einen anderen Modernen, der die Verfremdung und Desillusionierung zum Zentrum seiner Arbeit erklärte, darüber aber niemals vergaß, was die Grundlage seines Gewerbes ausmacht. »*Theater* besteht darin«, heißt es zu Anfang seines *Kleinen Organons* (1948) programmatisch, »daß lebende Abbildungen von überlieferten oder erdachten Geschehnissen zwischen Menschen hergestellt werden, und zwar zur Unterhaltung. [...] Es ist die nobelste Funktion, die wir für *Theater* gefunden haben. [...] Seit jeher ist es das Geschäft des Theaters wie aller andern Künste auch, die Leute zu unterhalten. Dieses Geschäft verleiht ihm immer seine besondere Würde; es benötigt keinen andern Ausweis als den Spaß, diesen freilich unbedingt. Keineswegs könnte man es in einen höheren Stand erheben, wenn man es etwa zum Beispiel zu einem Markt der Moral machte; es müßte dann eher zusehen, daß es nicht gerade erniedrigt würde, was sofort geschähe, wenn es nicht das Moralische vergnüglich, und zwar den Sinnen vergnüglich machte – wovon das Moralische allerdings nur gewinnen kann.« Wenn in diesen Sätzen die Ideen Kants und Schillers wieder anklingen, dann ist diese Parallele, so meine ich, nicht zufällig, sondern Teil einer langen Tradition.

Heilige Kühe

Warum ist heute gerade in der deutschen Literatur die Neigung zum Unsinnlichen, zum Theorem, zur Abstraktion so groß? Weder in England noch in Frankreich, weder in Italien noch in Nord- oder Südamerika wird das Recht und die Pflicht der Schriftsteller, Vergnügen zu bereiten, mit soviel Mißtrauen beäugt wie hierzulande.

Vielleicht hat dieser literarische Sonderweg Deutschlands ähnliche Ursachen wie der historische. Während sich unsere Nachbarländer im 18. Jahrhundert zu mehr oder minder liberalen Nationalstaaten formten, litt das Heilige

Römische Reich Deutscher Nation unter seiner inneren Zersplitterung und rang um Einheit und Anschluß an die Moderne. Kultur und Sprache mußten die Klammer bilden, die den Bürgern politisch vorenthalten blieb. Zur Zeit der Weimarer Klassik gab es absolutistische Kleinstaaten dutzendweise, aber nur einen Goethe.[5] Den spielerischen Ambitionen der Literatur ist so etwas naturgemäß nicht zuträglich: Wer mit der Verantwortung lebt, ein Land zusammenzuhalten, ihm Orientierungsfigur und Repräsentant zu sein, der ist mit anderem beschäftigt, als frivole oder phantastische, komische oder groteske, ironische oder verspielte Bücher zu schreiben.

Nach dem Zweiten Weltkrieg war die Situation ähnlich. Politisch und moralisch am Boden, richteten sich die Deutschen nur zu gern am Glanz ihrer großen kulturellen Tradition wieder auf: Dieses Volk hatte Hitler hervorgebracht, aber auch Thomas Mann. Wieder wurden von den Schriftstellern Belehrung, Ernst, Sinnstiftung und Würde erwartet, nicht jedoch Vergnügen. Vielleicht liegt es daran, daß bei uns mit eifernder Insistenz die E-Literatur von der U-Literatur geschieden wird, wobei die ernste, wie ihr Name schon sagt, ernst zu sein hat und die andere als wertlos gilt. Im Ausland ist diese strenge Rubrizierung undenkbar oder zumindest weniger rigide, da »E« und »U« stets als Pole eines Ganzen gesehen werden mit fließenden Übergängen.

Hinzu kommt, daß die Jahre des Nationalsozialismus den Kontakt zur ästhetischen Moderne gründlich unterbrochen hatten – mit dem Ergebnis, daß deren Experimente und Verfahren in der Bundesrepublik zu einem beträchtlichen Teil erst retrospektiv, aber dafür um so andächtiger aufgenommen und nachbuchstabiert wurden. Vielleicht erweist sich Deutschland deshalb heute auch in literarischer Hinsicht als eine verspätete Nation. Denn seit geraumer Zeit zeigen einige der Glaubenssätze, die lange zum festen Repertoire der modernen Ästhetik gehörten, Anzeichen von Erosion. Bei unseren westlichen Nachbarn werden sie, soweit ich sehen kann, durchweg wie Museumsstücke behandelt: Man bewundert sie, aber man benutzt sie nicht. In Deutschland dagegen halten ihnen zahlreiche Kritiker und Schriftsteller, aus welchen Gründen auch immer, hartnäckig die Treue. Sie beharren mehr oder weniger unausgesprochen darauf, daß die Literaturgeschichte von einem genau beschreibbaren Fortschritt geprägt ist und die diversen Epochen nicht nur chronologisch aufeinander folgen, sondern auch mit historischer Konsequenz aufeinander aufbauen. Eine Vorstellung, nach der sich jeder Rückgriff auf vergangene Schreibweisen automatisch mit dem Risiko verbindet, in längst überwundene geschichtliche oder ästhetische oder erkenntnistheoretische Irrtümer und Illusionen zurückzufallen, und literarisches Heil für einen Autor nur in den jeweils avanciertesten Ausdrucksformen zu finden ist.

Hinter dieser Ästhetik des Höher, Schneller, Weiter ist noch immer der Glaube an einen Fortschritt in der Geschichte zu spüren, der in den Schriften einiger der wichtigsten deutschsprachigen Literaturtheoretiker dieses Jahrhunderts, Benjamin, Adorno, Bloch, Lukács, seine geschichtsphilosophische Begründung hat. Doch dieser Glaube übersieht, daß parallel zu der tiefgreifenden historischen Ernüchterung der Gegenwart manche liebgewordenen ästhetischen Übereinkünfte inzwischen zu bloßen Denkschablonen verkommen sind. Man bedient sich ihrer nur noch aus Gewohnheit und ohne Rücksicht darauf, wie fadenscheinig sie sich heute bei näherer Betrachtung ausnehmen. Ich möchte fünf solcher Übereinkünfte – die zu den heiligen Kühen unseres Kulturbetriebs zählen, mir aber einen ziemlich altersschwachen Eindruck machen – kurz vorstellen:

Erstens: Zu den Stereotypen der Literaturkritik gehört es nach wie vor, einen Autor wegen seiner formalen Innovationen zu loben, beziehungsweise Bücher, die solche Innovationen vermissen lassen, als risikolos oder altbacken abzuqualifizieren. Heiner Müller brachte dieses Argumentationsmuster auf die Sentenz: »Kunst legitimiert sich durch Neuheit = ist parasitär, wenn mit Kategorien gegebner Ästhetik beschreibbar.«[6] Die Idee ist alt, sie erhielt mit dem Beginn der Moderne herausragende Bedeutung, als sich die Schriftsteller angesichts schwindender weltanschaulicher Sicherheit, des sich beschleunigenden sozialen Wandels und der zunehmenden Industrialisierung mit Erfahrungen konfrontiert sahen, die sie in traditionellen Formen nicht mehr fassen konnten und für die sie neue Ausdrucksmittel suchten.

Seitdem sind mehr als hundert Jahre vergangen. Die Moderne hat inzwischen ein unübersehbares Arsenal von Formen zur Verfügung gestellt und ist selbst zu einer Tradition geworden. Mit Konventionen zu brechen gehört mittlerweile selbst zur literarischen Konvention: Wenn heute ein Autor einen sogenannten experimentellen Text schreibt, ist das nichts Überraschendes mehr, sondern etwas Wohlvertrautes.[7] Er muß sich zudem fragen lassen, ob die Erfahrungen, die ihn an den Schreibtisch drängen, tatsächlich so neuartig sind, daß er durch sie gezwungen wird, alle Traditionen beiseite zu schieben. Jeder blinde Innovationszwang aber, der Neues nur um der Neuheit willen erzeugt, ist nicht nur intellektuell fragwürdig, sondern auch rundum affirmativ. Denn er verlangt vom Schriftsteller, wie ein Marketingstratege zu arbeiten: Er soll sich einen Überblick über den literarischen Markt verschaffen, eine Lücke im Angebot ausmachen, auf diese Lücke sein neues Produkt, sprich: seine neue Schreibweise zuschneiden und dieses Markenzeichen dann gut sichtbar vor sich hertragen.

Mit anderen Worten: Es ist heute mehr als legitim, an traditionelle Erzähltechniken anzuknüpfen, wenn der Autor den Erzählton zu aktualisieren versteht. Oder provozierender formuliert: Was spricht dagegen, die Erzählmuster routinierter Unterhaltungsautoren – denn die beruhen auf jenen traditionellen Techniken – zu übernehmen, um etwas Besseres daraus zu machen?

Zweitens: Die Literatur soll, so verlangt ein anderes, oft bemühtes Standardargument, nicht unsere Wirklichkeit abbilden, sondern eine Art Gegensphäre erschaffen. Erst in der radikalen Abkehr vom Vertrauten werde die ganze Widerstandskraft der Dichtung spürbar. Der Schriftsteller solle deshalb nicht das Vorgegebene mit seinen Texten ›verdoppeln‹, sondern ihm etwas Fremdes, noch Unbekanntes, Verstörendes entgegenstellen. »Ich werde mich entschlossen verirren« [8], schreibt Peter Handke und betont so, daß in seinen Augen die Literatur das einzige Richtige in all dem Falschen um uns ist.

Auf den ersten Blick hat diese Überlegung, zumal wenn man die Grundlagen unserer Gesellschaft für kritikwürdig hält, etwas Bestechendes. Doch genauer betrachtet nimmt sie sich eher unsinnig aus, denn keine literarische Beschreibung kann die Wirklichkeit tatsächlich verdoppeln: Jedes Buch, auch wenn es sich noch so sehr an der Wirklichkeit orientiert, tritt dieser Wirklichkeit als etwas Fremdes, Fiktives gegenüber. Zudem ist jene Argumentation aus sprachlichen Gründen bedenklich. Wenn sich ein Schriftsteller vom Vertrauten konsequent verabschieden will, muß er auch die vertraute Sprache hinter sich lassen – und damit beträchtliche Verluste in Kauf nehmen. Schließlich schlägt sich in der Sprache, für die Zeitgenossen oft unerkannt oder unbewußt, vieles von der jeweiligen geschichtlichen Situation nieder, in der sie gesprochen wurde. Je gründlicher sich ein Autor in eine Gegensphäre zurückzieht, desto größer ist deshalb das Risiko, daß seine Sprache nichts über die Welt erzählt, sondern nur noch etwas über das ästhetische Konzept des Schriftstellers, daß seine Sprache nicht kunstvoll wird, sondern nur künstlich, nicht poetisch, sondern pomadig.

Drittens: Es könne heute keine Erzähler alter Schule mehr geben, so lautet eine geläufige literaturkritische Überzeugung, denn deren Schreibweise entstamme einer Welt, in der Erfahrungen von Generation zu Generation weitergereicht werden konnten. Unsere Welt dagegen, in der die weltanschaulichen Ordnungen zerschlagen seien, kenne solche gültigen Erfahrungen nicht mehr. Nicht der große epische Atem sei unserer Zeit angemessen, sondern ein Autor müsse – und an dieser Stelle wird dann gern Walter Benjamin zitiert – »das Individuum in seiner Einsamkeit« beschreiben, das sich »über seine wichtigsten Anliegen nicht mehr exemplarisch auszusprechen vermag, selbst unberaten ist und keinen Rat geben kann.«[9]

Der Ausgangspunkt dieser Überlegung ist gewiß richtig, an der Unüberschaubarkeit der Moderne kann kein Zweifel sein. Doch die Schlußfolgerung wird von vielen hervorragenden epischen Werken neueren Datums unübersehbar widerlegt. Erfinderische Schriftsteller haben zahllose Schliche gefunden, das Verdikt zu umgehen. Benjamin selbst wies auf Döblin[10] hin, der in *Berlin Alexanderplatz* (1929) die epische Welt nicht selbst baut, sondern seine Fiktionen mit Fakten montiert und so beglaubigt. Ein Autor könne auch, so schlägt der amerikanische Romancier E. L. Doctorow[11] mit Blick auf Benjamin vor, sein episches Panorama als Tatsachenbericht ausgeben, den Lesern aber zugleich zu verstehen geben, daß dennoch alles Erfindung sei, und ihnen damit den literarischen Boden unter den Füßen wieder wegziehen. Etwas Ähnliches betreibt Sten Nadolny in seinem zweiten Roman: Er rät dem Publikum, scheinbar in der Haltung des alten Erzählers, die Langsamkeit für sich zu entdecken, doch nach und nach sabotiert er diese Empfehlung kunstvoll – auf den letzten Seiten stirbt seine Heldenmannschaft, weil sie zu spät handelt. »Der Roman«, notiert er, »ist eine Behauptung, die zu Ende geführt wird, obwohl sie sich bereits aufzulösen beginnt.«[12] Mit bewundernswerter Eleganz hat auch Grass in der *Blechtrommel* (1959) ein vergleichbares Verfahren angewandt. »Zugegeben: ich bin Insasse einer Heil- und Pflegeanstalt«[13], mit diesem Satz beginnt das Buch, und danach kann der Erzähler auftreten wie ein Weltweiser; der Leser ist gewarnt, daß es sich möglicherweise um einen Geistesgestörten handelt.

Solche Beispiele zeigen, daß die Überlegungen, bestimmte Schreibweisen seien heute nicht mehr angemessen oder überlebt, letztlich mehr mit intellektueller Anmaßung zu tun haben als mit literarischer Praxis. Ein einfallsreicher Schriftsteller braucht manchmal nur einen Halbsatz, um uralte Erzähltechniken auf die Höhe der Zeit zu bringen – und ungezählte theoretische Warnungen zu entkräften.

Viertens: Die moderne Literatur hat dem Leser keine angenehme Rolle zudiktiert. Seine Erwartungen oder Bedürfnisse sollen nach Kräften düpiert, irritiert, decouvriert und vor allen Dingen enttäuscht werden. Épater le bourgeois! – mit diesem Schlachtruf zogen schon im vorigen Jahrhundert Autoren truppweise ins publizistische Feld, und manche versuchen das auch heute noch.

Schön und gut – aber wie lange kann man so etwas betreiben? Das Verfallsdatum solcher Provokationen scheint mir weit überschritten. Schließlich lernen auch ausgesprochen literaturferne Menschen irgendwann dazu. Statt sich schockieren oder vor den Kopf stoßen zu lassen, lassen sie diese Art von Literatur lieber beiseite. Ihre Bedürfnisse können sie allemal mit Büchern von anderem Zuschnitt befriedigen – oder mit den Produkten anderer Medien. Fraglos kann es keinem Autor mit erzählerischem Anspruch darum gehen, platten Lektüreerwartungen entgegenzukommen. Doch vielleicht ist es heute klüger, scheinbar auf sie einzugehen, um dann unter der Hand ein geschicktes Spiel mit ihnen zu treiben. »Ein breites Publikum zu erreichen und seine Träume zu bevölkern«, schreibt Umberto Eco, sei heute nichts Verächtliches, denn es müsse ja nicht heißen, die Leser »zu besänftigen, mit versöhnlichen Bildern zu trösten. Es kann auch heißen, sie aufzuschrecken: mit Albträumen, Obsessionen«[14].

Fünftens: In Deutschland werden Schriftsteller, vielleicht in der Tradition einer unheilvollen Autoritätsgläubigkeit, noch immer gern als Propheten betrachtet. Sie gelten als Teil einer Avantgarde, die den gewöhnlichen Bürgern geistig, moralisch, politisch voraus ist. Wenn also ein Buch den Lesern dunkel und elitär erscheint, wird das instinktiv als ein Mangel auf seiten der Leser, nicht des Buches begriffen. Das Publikum muß sich dann eben darum bemühen, zum Horizont des Autors aufzuschließen. »Der Autor nämlich«, so schreibt Christa Wolf, »ist ein wichtiger Mensch.«[15]

Dieses heroische Bild des Schriftstellers hat durch die Zeitläufte stark gelitten. Wenn niemand weiß, in welche Richtung sich die Geschichte entwickelt, wird der Avantgardist zur komischen Figur. Seine Aura war an seine intellektuellen Gewißheiten gekoppelt, und nun ist mit den einen das andere verlorengegangen. Auch seine moralische oder politische Position ist zumindest fragwürdig geworden, wenn man bedenkt, auf welche ideologische Torheiten sich die verschiedenen Avantgarden in unserem Jahrhundert beriefen – immer in dem aristokratischen Bewußtsein, der Masse überlegen zu sein.

Die Pfade der klassischen Moderne sind inzwischen zu planierten Promenaden geworden, aber viele Kritiker nicken immer noch brav mit dem Kopf, wenn ein Autor wieder einmal die Posen des Weltgeists an der Schreibmaschine durchprobiert. Doch Schriftsteller, die mehr erreichen wollen als ein paar beflissene Rezensionen, werden sich heute etwas anderes einfallen lassen müssen. Zugegeben, die großen Autoren der Moderne haben eine ästhetisch notwendige Wende herbeigeführt und klassisch gewordene Werke hinterlassen. Doch enthebt uns das nicht der Frage, ob die Wege, die sie damals beschritten, heute noch die richtigen sind.

Ärgerlich sind in diesem Zusammenhang vor allem jene dogmatischen Poetologien, die sich in Phrasen gefallen wie: ›Nach Musil kann man nicht mehr schreiben wie Fontane‹ oder ›Seit Kafka ist der realistische Roman im Stil Thomas Manns obsolet‹. Das ist im Grunde nur intellektuelles Namedropping, gemischt mit einem ins Ästhetische gewendeten Fortschrittsglauben, dem inzwischen auf ihrem Gebiet selbst hartgesottene Technizisten und Politiker abgeschworen haben.

Ein in jungen Jahren bereits erfolgreicher englischer Autor, Julian Barnes, hat diesem Thema einmal eine bedenkenswerte halbe Seite gewidmet. Zunächst erinnert er an Flauberts Satz: »In seinem Werk muß der Autor sein wie Gott in seinem Universum, allgegenwärtig und nirgendwo sichtbar«, und fährt dann fort: »Das hat man in unserem Jahrhundert natürlich heftig mißdeutet. Nehmen wir nur mal Sartre und Camus. Gott ist tot, haben sie uns erzählt, und deswegen ist es der gottgleiche Romancier auch. Allwissenheit ist unmöglich, das Wissen des Menschen ist beschränkt, deswegen muß auch der Roman in seiner Perspektive beschränkt sein. Das klingt nicht nur toll, sondern dazu noch logisch. Aber ist es auch nur eins von beiden? Der Roman entstand schließlich nicht, als der Glauben an Gott entstand; und was das anlangt, so besteht auch kaum ein Zusammenhang zwischen den Romanciers, die am festesten an den allwissenden Erzähler glaubten, und jenen, die am festesten an den allwissenden Schöpfer glaubten. [...] Noch genauer gesagt: Die angenommene Göttlichkeit des Romanciers im neunzehnten Jahrhundert war stets nur ein technisches Mittel; und die beschränkte Perspektive des modernen Romanciers ist ebenfalls ein Kunstgriff.«[16]

Weiße Raben

Einer der anregendsten deutschen Schriftsteller, Hans Magnus Enzensberger, hat der eigenen Branche in den letzten Jahren mehrfach bescheinigt, in welchem Maße ihre Geltung geschrumpft ist. Während der Anfänge der bürgerlichen Gesellschaft, so resümiert er, habe die Literatur die Rolle eines sozialen Leitmediums übernommen. Aus Dichtern wurden Vordenker und Repräsentanten, und was sie schrieben, hatte den Rang öffentlicher Ereignisse. Davon kann heute keine Rede mehr sein. Die Literatur, so Enzensberger, hat »ihre übergreifende Bedeutung eingebüßt«. Sie »ist frei, aber sie kann die Verfassung des Ganzen weder legitimieren noch in Frage stellen; sie darf alles, aber es kommt nicht mehr auf sie an.«[17]

Dem ist nichts hinzuzufügen. Nicht zustimmen kann ich jedoch der Schlußfolgerung, die Enzensberger zieht und die für ihn ganz untypisch defensiv ausfällt: Literatur sei zu »einer minoritären Angelegenheit« geworden, ihr Publikum »eine Minderheit von zehn- bis zwanzigtausend Leuten«[18]. Mit dieser scheinbar so bescheidenen, insgeheim so elitären Beschränkung auf eine kleine, aber möglichst feine Gemeinde macht er es sich in meinen Augen zu leicht.

Richtig ist, daß die Literatur bei uns und in fast allen demokratisch verfaßten Ländern ihre herausgehobene Rolle verloren hat. Aber das gilt auch für Amerika – und dennoch wird die amerikanische Literatur in aller Welt gelesen. Folglich muß die schwindende Bedeutung als soziales Leitmedium nicht zwangsläufig auch schwindende Popularität nach sich ziehen. Was, um ein anderes Beispiel zu nennen, ebenso der moderne Konzert-Betrieb belegt: Auch wenn Georg Solti der Gesellschaft keine weltanschauliche Orientierung vorgibt, braucht er sich über mangelnden Zulauf nicht zu beschweren. Die Idee, die Arbeit eines Schriftstellers müsse, um auf Interesse zu stoßen, jederzeit irgendeine sozialtheoretische Relevanz aufweisen, scheint mir bereits eine sehr deutsche zu sein.

Tatsächlich sieht sich die Literatur in Konkurrenz gestellt zu einer Vielzahl anderer Medien, die heftig und zum Teil sehr erfolgreich um unsere Aufmerksamkeit kämpfen. Doch die angemessene Reaktion auf die veränderte Lage kann nicht der enttäuschte Rückzug in ein wie immer geartetes Ghetto sein. Die Literatur muß die Konkurrenz, mit der sie sich konfrontiert sieht, als Gegner akzeptieren und gegen sie ihre spezifischen Reize ausspielen. Wenn sie schon ihre ehemals übergroße Verantwortung los ist, wie Enzens-

berger schreibt, warum soll sie sich dann nicht ihrer verantwortungslosen Schönheit widmen? Die Literatur hat Anzie-
hungskräfte, die ihr niemand nehmen kann und die durch
nichts zu ersetzen sind. Zu den Aufgaben des Schriftstellers
gehört es, sie mit Intelligenz und Witz, mit Geschick und
Geschmack, Fingerspitzengefühl und Phantasie hervorzu-
kehren – mit Kunstverstand eben. Das sind, zugegeben, vage
Begriffe, aber Schönheit entzieht sich nun mal, wie schon
Kant anmerkte, der wissenschaftlichen Begrifflichkeit.

Mit solchen Anziehungskräften versehen, verfehlt die
Literatur auch heute nicht ihre Wirkung auf einen nennens-
werten Teil der Bevölkerung, wie leicht feststellen kann, wer
an einem beliebigen Tag eine beliebige Buchhandlung
betritt. Er wird dort einige Titel finden, die stapel- oder
sogar palettenweise angeboten werden. Natürlich sind darunter seichte Schmöker, aber immer auch ein paar lesens-
werte Bücher – und genau die müssen uns nachdenklich
machen. Solche weißen Raben hat es in den achtziger Jahren
auch in der deutschen Literatur gegeben. Bemerkenswert ist,
daß die Autoren den Mut hatten, sich einiger Stoffe anzunehmen, die hierzulande gern und pauschal der Trivialliteratur zugerechnet werden. Sie übernahmen gängige Muster
und zwangen ihnen etwas ab, das weit über die Grenzen des
Genres hinausging, aber gleichwohl die Leser nicht aus-
schloß. So stürzte sich Sten Nadolny in die Seeräuber- und
Abenteuergeschichten und machte daraus seine *Entdeckung
der Langsamkeit* (1983), Patrick Süskind entlieh sich für sein
Parfum (1985) die Kostüme des historischen Romans, Christoph Ransmayr näherte sich seiner *Letzten Welt* (1988) mit
den Mitteln detektivischer Nachforschung und stilistischer
Eleganz, und Christoph Hein verließ sich für sein *Drachen-
blut* (1982) ebenso wie Bodo Kirchhoff für *Infanta* (1990)
auf die nimmermüde Kraft der Liebesgeschichten. Nicht
jedem wird jedes dieser Bücher gefallen, aber keines von
ihnen ist banal und keines trist. Gründe genug, von ihnen zu
lernen.

Wer sich heute Gedanken über eine Literatur macht, die sich von abgenutzten Grundsätzen der Moderne befreit, dem drängt sich die vielfach mißbrauchte Postmoderne auf. Der Begriff ist in der deutschsprachigen Öffentlichkeit, um das mindeste zu sagen, ungeliebt. Ihm schlägt eine Abwehr oder Mißachtung entgegen, die oft genug purer Unkenntnis entspringt oder einer dezidierten Unlust, sich mit ihm zu beschäftigen. So erschienen in jüngster Zeit zwei Bücher[19], in denen die Postmoderne ebenso pauschal wie heftig verworfen wird, ohne daß die Autoren auch nur einen namhaften Vertreter dieser Strömung zitierten, geschweige denn sich zu einer greifbaren Definition der abgelehnten Erscheinung aufrafften. Schon deshalb soll der schillernde Begriff im nächsten Kapitel eingehend beleuchtet werden. Doch Sinn der Sache kann nicht sein, ein Dogma gegen das andere auszutauschen, sprich: die Schriftsteller statt auf die Grundsätze der Moderne auf die der Postmoderne verpflichten zu wollen (wozu vor allem einige der französischen Theoretiker der Postmoderne gelegentlich neigen). Es geht vielmehr darum, den Begriff als Hilfsmittel zu benutzen, alte normative Vorstellungen beiseite zu räumen und die literarischen Spielräume zu erweitern. In anderen Weltgegenden hat diese Debatte schon vor zwei Jahrzehnten stattgefunden, und vielleicht ist ihr Ausbleiben oder ihre Verspätung hierzulande mitverantwortlich dafür, daß die Bücher ausländischer Autoren für die Leser oft attraktiver sind als die der deutschen.

Über das Schreiben ohne Gewißheit
Postmoderne in der deutschen Literatur

> »Man kann also ohne Zorn auf jene
> heroische Periode zurückblicken; ja, es
> mag sich mit der Zeit sogar eine gewisse
> Rührung einstellen angesichts jener
> schwarzen Quadrate an der Wand, die
> man einst für den Kulminationspunkt
> der europäischen Malerei gehalten hat,
> weil man glaubte, sie hätten die be-
> rühmte eherne Logik der Geschichte
> auf ihrer Seite. Das waren noch Zeiten,
> als ganze Seiten voller kleiner e's als der
> Gipfel der Kühnheit galten und als
> zukunftsweisende poetische Leistung!«
> Hans Magnus Enzensberger
> *Das Ende der Konsequenz*

»Von hier und heute geht eine neue Epoche der Weltge-
schichte aus, und ihr könnt sagen, ihr seid dabei gewesen« –
im Herbst 1989 gehörte wenig Scharfsinn dazu, Goethes
Satz mit Blick auf die Gegenwart zu zitieren. Seit der Reale
Sozialismus sich selbst zu Grabe trug, veralten die Landkar-
ten Europas und Asiens fast so schnell wie Tageszeitungen,
entwickeln sich aus überwunden geglaubten nationalen Ressentiments in kürzester Zeit Massaker, nehmen Zahl und
Größe der Völkerstämme, die sich auf die Wanderschaft in
andere Länder oder Kontinente machen, geradezu archai-
sche Dimensionen an.

Angesichts eines historischen Umbruchs von solchem
Ausmaß verlangt man den Schriftstellern hierzulande gern
Konfessionen ab. Sie sollen – wenn's geht, vor Publikum –
ihren meist linken Utopien abschwören, sollen ihr Verhältnis zur Macht oder zur Nation überprüfen und neue Werte
entwickeln, um dann sogleich für diese einzustehen. Verblüffend ist immer wieder, wieviel öffentliches Interesse
derlei Bekenntnisrituale finden – obwohl die politischen
Ansichten von Schriftstellern für das Klima einer hoch-

differenzierten Industriegesellschaft wahrscheinlich keine größere Bedeutung haben als, sagen wir, die entsprechenden Verlautbarungen der Faserplatten-Industrie oder der Binnenschiffahrt.

Eine Frage, die, nüchtern betrachtet, bedeutend näher liegt, findet dagegen weit weniger Aufmerksamkeit: ob jener Umbruch Folgen für die literarische Arbeit der Schriftsteller hat – und wenn ja, welche. Tatsächlich mehren sich, wie im ersten Kapitel beschrieben, die Anzeichen für den allmählichen Bedeutungsverlust einiger Glaubenssätze, die lange zum festen Repertoire ästhetischer Diskussionen gehörten. Dieser Wandel vollzieht sich tastend, ist vermutlich nicht einmal all jenen Autoren bewußt, die ihn mit ihren Büchern vorantreiben, und steht in einem nur indirekten Bezug zur gegenwärtigen geschichtlichen Wende. Denn er begann bei einigen Schriftstellern weitaus früher und wird bei anderen noch lange umstritten bleiben.

Es ist nicht leicht, eine solche Sezessionsbewegung zu beschreiben – zumal für einen Zeitgenossen, der die jeweiligen Antriebe und Ergebnisse noch nicht aus historischer Distanz besichtigen kann. Doch eins liegt auf der Hand: Spätestens seit der Selbstdemontage des Realen Sozialismus haben die totalitaristischen Visionen – zumindest in den westlich orientierten Demokratien – jeden Glanz eingebüßt. Mit dem Traum von der Weltrevolution sind die Träume von den großen Weltanschauungen, von den umfassenden Denksystemen, die sowohl dem Geschichtsverlauf als auch dem Leben des einzelnen Ordnung und Sinn geben sollten, gründlich ausgeträumt. Der Zwang, den solchermaßen aufs Ganze gehende Ideen ausüben, ist unübersehbar geworden. Die Einsicht, daß bislang jeder Plan zur Menschheitsbeglückung im Terror endete, gilt mittlerweile als Gemeinplatz.

Mehr noch: Es hat sich herumgesprochen, daß die vergleichsweise starren Strukturen der Staaten, die sich auf religiöse, nationalistische oder auch kommunistische Einheitsgedanken berufen, für die Entwicklung der betreffenden Länder kaum lösbare Probleme mit sich bringen. Zumindest sind solche Strukturen nicht wettbewerbsfähig gegenüber dem kreativen Chaos offener Gesellschaften, in denen die widersprüchlichsten Ideen und Deutungskonzepte miteinander konkurrieren und eine von ihnen möglicherweise Teilgebiete vorübergehend dominiert, nie aber das gesamte soziale Leben.

Ganz neu ist das natürlich nicht: Die Skepsis gegenüber groß angelegten Heilsplänen gehört ebenso zu den vergangenen beiden Jahrhunderten wie diese Heilspläne selbst. Mit einigem Recht kann man den Zweifel an den mythischen und religiösen Kosmologien, die schmerzhaft empfundene »transzendentale Obdachlosigkeit«[1], als Signum des modernen Bewußtseins betrachten. Doch zum einen ging dieser Zweifel einher mit dem Aufstieg nicht- oder auch anti-religiöser Ideologien – wie der kommunistischen –, die so etwas wie eine weltliche Erlösung versprechen, zum anderen stand hier stets die Trauer über den Verlust jener ordnenden Wertetotalität im Vordergrund und dazu das dringende Bedürfnis, die aus den Fugen geratene Welt wieder mit einem allumfassenden Sinn erfüllt zu sehen.

Ein gutes Beispiel für diese Haltung liefert Georg Lukács' *Theorie des Romans* (1916) und das spätere intellektuelle Schicksal ihres Verfassers. Lukács konstatiert in dem Buch einerseits, daß »der Kreis, dessen Geschlossenheit die transzendentale Wesensart« vormoderner, antiker oder religiös geprägter Epochen ausmachte, »für uns gesprengt« ist – »wir können in einer geschlossenen Welt nicht mehr atmen«[2]. Andererseits verlangt er, frühromantische Vorstellungen fortführend, von den Romanautoren, sie sollten nicht beim Schmerz über die verlorene Sinntotalität stehenbleiben, sondern an einer ästhetischen »Gesinnung zur Totalität«[3] festhalten. Als sich Lukács später zum Marxismus bekannte, trat er freilich in eine durchaus »abgerundete Welt«[4] ein, deren umfassende Ordnung nicht von Schriftstellern literarisch ersehnt und imaginiert werden mußte, sondern für Lukács ideologisch aufs beste begründet war und seiner gewandelten Überzeugung nach in den Romanen nur eingefangen und widergespiegelt werden sollte. Weshalb er nunmehr vor den eigenen Überlegungen in der *Theorie des Romans* warnte und zustimmend festhielt, der »gesunde Instinkt« habe den sozialistischen Autor Arnold Zweig bei der Lektüre »richtigerweise zur schroffsten Ablehnung«[5] geführt. Dazu warf er einem »beträchtlichen Teil der führenden deutschen Intelligenz« vor, das »Grand Hotel Abgrund« bezogen zu haben, ein »schönes, mit allem Komfort ausgestattetes Hotel am Rande des Abgrunds, des Nichts, der Sinnlosigkeit«[6] – ein Ausblick, von dem er sich mit Grausen abwandte.

Der Moderne ist die Welt unwiederbringlich in Scherben zerfallen, und sie wird geprägt durch den Schmerz über deren entfremdeten (Marx), entwerteten (Nietzsche) oder entzauberten (Max Weber) Zustand – und dazu durch mehr oder weniger folgenreiche Versuche, die Scherben so gut wie möglich zu kitten. Die Postmoderne dagegen stellt sich der Erkenntnis, daß der Absolutheitsanspruch einer Idee immer nur auf Kosten der legitimen Existenzrechte anderer Ideen durchzusetzen ist. Sie akzeptiert nicht nur das Ende aller Hoffnungen auf Sinntotalität, sondern sie begrüßt es auch, da erst nach diesem Ende den zuvor untergeordneten Teilen, Bruchstücken oder Minderheiten Gerechtigkeit widerfahren kann. »Die Postmoderne ist diejenige geschichtliche Phase«, schreibt Wolfgang Welsch, »in der radikale Pluralität als Grundverfassung der Gesellschaft real und anerkannt wird und in der daher plurale Sinn- und Aktionsmuster vordringlich, ja dominant und obligat werden.«[7] Einseitig und falsch wäre es, diesen Prozeß als Phase des Niedergangs und Zerfalls zu betrachten. Die Postmoderne hat einen ausgeprägten moralischen Anspruch: Sie verwahrt sich gegen jede überkommene oder auch neue Hegemonie und tritt entschieden für die Entfaltungsfreiheit jedes Einzelnen ein. Sie macht Ernst mit den langgehegten Vorstellungen von Toleranz und Demokratie – und das nicht aus Gleichgültigkeit oder aus der ihr immer wieder vorgehaltenen geistigen Beliebigkeit, sondern vor dem Hintergrund historischer Einsichten. Denn, so fährt Welsch in Anlehnung an Jean-François Lyotard fort, die »Grunderfahrung der Postmoderne ist die des unüberschreitbaren Rechts hochgradig differenter Wissensformen, Lebensentwürfe, Handlungsmuster. Diese konkreten Formen von Vernunft weisen sich eigentätig als sinnvoll aus. Von außen sind sie leichter zu verkennen als zu erkennen. Zu ihrer Anerkennung kommt es auf Grund einer relativ einfachen Schlüsselerfahrung: daß ein und derselbe Sachverhalt in einer anderen Sichtweise sich völlig anders darstellen kann und daß diese andere Sichtweise doch ihrerseits keineswegs weniger ›Licht‹ besitzt als die erstere – nur ein anderes. Licht, so erfährt man dabei, ist immer Eigenlicht. Das alte Sonnen-Modell – die eine Sonne für alles und über allem – gilt nicht mehr, es hat sich als unzutreffend erwiesen.«[8]

Auch wenn die Kritik an einem monolithischen Vernunftbegriff und die Forderung, die grundsätzliche Pluralität unserer Lebensverhältnisse vorbehaltlos anzuerkennen, für manchen fremd klingen mögen, so vollzieht diese Bestimmung der Postmoderne doch unübersehbar keinen Abschied von der Moderne, sondern will moderne Grundgedanken zuspitzen und radikalisieren. Das Ziel ist nicht, eine neue Epoche einzuläuten, sondern bestimmte Aspekte der Moderne zu betonen und so schließlich zu deren Kritik mit den Mitteln der Moderne beizutragen. »Das postmoderne Wissen«, so definiert Lyotard in aller Bescheidenheit, »verfeinert unsere Sensibilität für die Unterschiede und verstärkt unsere Fähigkeit, das Inkommensurable zu ertragen. Es selbst findet seinen Grund nicht in der Übereinstimmung der Experten, sondern in der Paralogie der Erfinder.«[9] Und zu diesen Erfindern zählen nicht nur Wissenschaftler und Techniker, sondern auch und gerade die Künstler und Schriftsteller. »Postmoderne bedeutet«, konstatiert ebenso

Zygmunt Bauman, »nicht notwendig das Ende, die Diskreditierung oder Verwerfung der Moderne. Postmoderne ist nicht mehr (aber auch nicht weniger) als der moderne Geist, der einen langen, aufmerksamen und nüchternen Blick auf sich selbst wirft, auf seine Lage und seine vergangenen Werke, nicht ganz überzeugt von dem, was er sieht, und den Drang zur Veränderung verspürt. Postmoderne ist die Moderne, die volljährig wird«[10].

Die postmoderne Verfassung unserer Lebensverhältnisse wird natürlich nicht erst seit dem Ende des sozialistischen Experiments in Osteuropa offensichtlich. Zumindest in der westlichen Welt war sie seit Jahrzehnten spürbar. Im Zeitalter der Telekommunikation und der Touristik, des Fliegens und des Fernsehens, kurz: des unentwegten interkontinentalen Austauschs von Menschen, Gütern und Gedanken, rücken einst weit entfernte und höchst differente Kulturen so nahe aneinander, daß ihre Eigenarten und Widersprüche, aber auch ihre jeweilige Legitimität zur alltäglichen Erfahrung werden. Angesichts der immer vielgestaltiger, buntscheckiger werdenden Gegenwart und ihrer immer rasanter fortschreitenden Veränderung ist es anachronistisch, wenn nicht gar lächerlich, für eine rundum verpflichtende Totalitätsvorstellung zu plädieren. Die latente Gewaltsamkeit monumentaler Weltentwürfe tritt inzwischen deutlich hervor: Auf wie viele Kontraste müßte zugunsten einer solchen Einheitsidee verzichtet, wie viele aus Gegensätzen resultierende Anregungen müßten ausgeblendet, wie viele Widersprüche rücksichtslos aufgelöst werden. Schließlich: Wie viele historisch begründete Konflikte dürften ihretwegen nicht mehr benannt und (in möglichst friedlichem Wettbewerb) ausgetragen, sondern müßten unterdrückt oder eingefroren werden – mit unabsehbaren Folgen.

Es ist wohl kein Zufall, daß der Begriff Postmoderne im hier skizzierten Sinn zuerst in den Vereinigten Staaten benutzt wurde[11]: in einem industriell avancierten, demokratischen und liberalen Einwanderungsland, das sich durch eine besonders farbige Mixtur von Bevölkerungsgruppen auszeichnet und in dem sich die technische und soziale Evolution noch schneller zu vollziehen pflegt als überall sonst. Es waren Literaturkritiker, die das Wort Ende der fünfziger Jahre in die Diskussion brachten und ihm zunächst kulturpessimistische Untertöne gaben: Verglichen mit den Höhepunkten der modernen angelsächsischen Literatur in der ersten Hälfte des Jahrhunderts, erschienen ihnen die Neuerscheinungen ihrer Gegenwart minderwertig, und so sprachen sie von einer Phase post-moderner Erschöpfung. Bereits Mitte der sechziger Jahre aber werteten Autoren wie Leslie A. Fiedler, Susan Sontag, Ihab Hassan und John Barth den Begriff in mehreren Essays auf, indem sie den Blick ihrer Leser für die spezifischen Qualitäten zeitgenössischer Schriftsteller und Schreibweisen schärften. Die Postmoderne wurde zum Losungswort, mit dem sich eine neue Schriftstellergeneration von ihren Vorgängern absetzte und zugleich behauptete, die moderne Literatur zu Grabe zu tragen: »Fast alle heutigen Leser und Schriftsteller«, proklamierte Fiedler 1969 apodiktisch, »sind sich der Tatsache bewußt, daß wir den Todeskampf der literarischen Moderne und die Geburtswehen der Post-Moderne durchleben. Die Spezies Literatur, die die Bezeichnung ›modern‹ für sich beansprucht hat (mit der Anmaßung, sie repräsentiere äußerste Fortgeschrittenheit in Sensibilität und Form, und über sie hinaus sei ›Neuheit‹ nicht mehr möglich) und deren Siegeszug kurz vor dem ersten Weltkrieg begann und kurz nach dem zweiten endete, ist *tot*, das heißt, sie gehört der Geschichte an, nicht der Wirklichkeit.«[12]

Zugegeben: Heute wird, mit Rücksicht auf die enge Verwandtschaft zwischen Postmoderne und Moderne, das Requiem für die moderne Literatur bedächtiger intoniert. Dennoch ist Fiedlers Attacke noch heute ein Beleg dafür, wie frühzeitig Schriftsteller, Intellektuelle, Künstler auf eine historische Entwicklung eingingen, die dann im Wendejahr 1989 ihren weltweit unübersehbaren Höhepunkt erreichte.

Sie antworteten bereits in den sechziger Jahren auf die zunehmende Offenheit und Pluralität der sozialen Verhältnisse mit einer Liberalisierung moderner ästhetischer Grundsätze. Hätte man die Akteure dieser Trendwende seinerzeit nach ihren politischen Positionen befragt, hätte man vermutlich einen dissonanten Chor recht durchschnittlicher Ansichten zu hören bekommen – wie von Vertretern anderer Berufsstände auch. Ihre besondere Sensibilität und damit ihre prognostische Kraft konzentriert sich, was in Zeiten der Telefoninterviews und Talkshows oft vergessen wird, auf ihre literarischen Werke und gibt sich nur in diesen zu erkennen.

Natürlich läßt sich ausgiebig darüber spekulieren, weshalb hierzulande erst mit solch großer Verspätung ernsthaft über die Postmoderne diskutiert wurde, weshalb diese Debatte in jenen siebziger und achtziger Jahren ausblieb, in denen die deutsche Literatur nach und nach ihr Publikum verlor. So warf Rolf Dieter Brinkmann dem deutschen Kulturbetrieb mit Blick auf Fiedlers Vorschläge schon 1968 geistige Xenophobie vor: »Es herrscht eine generelle, tiefverwurzelte Ignoranz und Abneigung gegen alles ›artfremde‹«[13]. Von Heinrich Klotz[14] stammt das Argument, die Moderne habe hierzulande einen nahezu unantastbaren Status erreicht, da die wichtigsten modernen Künstler von den Nationalsozialisten zur Emigration gezwungen wurden. Ihre Arbeiten gälten deshalb heute, meint Klotz, im allgemeinen Bewußtsein als antifaschistisch und damit demokratisch, jede Kritik an ihnen als Rückfall in braune Vorzeiten. Mal wird die Schuld also bei alten rechten, mal bei neueren linken Ressentiments geortet. Wie auch immer: Gerade im wiedervereinigten Deutschland gibt es – abgesehen von den spezifischen Sorgen der deutschsprachigen Schriftsteller – Gründe genug, sich mit Thesen zu beschäftigen, die vor allem die Vorzüge der Vielfalt und eines tiefgreifenden Pluralismus hervorheben. Schließlich war diese Nation, die historisch durch ein Übermaß an inneren Spaltungen gezeichnet ist, zugleich das Heimatland ambitionierter Geschichtsphilosophien, Systemprogramme und Totalitätsphantasien. Die Versuche, solche Ideen in den kurzen Phasen nationaler Stärke in die politische Praxis zu überführen, endeten bekanntermaßen in Katastrophen von unvergleichlichem Ausmaß.

Die Dichter in der Demokratie

Barry schüttelt den Kopf, streicht mit der ewig gleichen, ewig nervösen Handbewegung die Haare zurück: »Nein«, sagt er, »das sehen Sie falsch. Ein typisch europäischer Irrtum.«

Barry ist Amerikaner, schmächtig, mit einer kleinen runden Brille und schnellen, hellen Augen. Er gibt in Chicago eine Zeitschrift für Lyrik heraus, sie ist ökonomisch ein hoffnungsloser Fall, und auch die Biographie Allen Ginsbergs, an der er schreibt, verspricht kein Bestseller zu werden. Seine Nachbarn, hat er erzählt, amüsieren sich über ihn, weil er so viel arbeitet und so wenig verdient. Doch er amüsiert sich offenbar nicht weniger über seine Nachbarn, die, nur weil sie mehr Geld haben, glauben, reicher zu sein.

Als ich mich aber – auf Barrys ausgeprägtes Wertebewußtsein spekulierend – über die offizielle Fernsehshow zur Amtseinführung Bill Clintons lustig mache, als ich mich über das von Hollywood-Regisseuren inszenierte, mit Film- und Popstars garnierte Politspektakel im Januar 1993 mokiere, stoße ich auf Granit: Barry lächelt, streicht wieder nervös das Haar zurück und hält mir europäische Überheblichkeit vor. Die USA sind, erklärt er, ein Vielvölkerstaat, den seit langem keine einheitliche Kultur mehr zusammenbindet; wer beispielsweise in Chicago nicht Spanisch spricht, für den sind weite Teile der Stadt unzugänglich, und in manchen Bezirken von Los Angeles ist es aussichtsreicher, auf koreanisch nach einer Reisstube zu fragen als auf englisch nach einem BurgerKing. In einem derart zerrissenen Land, meint Barry, müssen die Politiker, um sich verständlich zu machen, notgedrungen die am weitesten verbreitete Sprache sprechen – und das ist die des Pop, der »popular culture«. Ein solches Land könne man vielleicht noch regieren, aber nicht mehr mit traditionell codifiziertem Pomp repräsentieren: »Wenn Clinton die Amerikaner der Neunziger während seiner Inauguration-Party vor dem Bildschirm vereinigt, wenn er sie mit Donald Duck für Demokratie interessiert, dann ist er ein Genie.«

Die zunehmende Vielfalt der am gleichen Ort zur gleichen Zeit gesprochenen Sprachen, die steigende Zahl der Sprachebenen, auf denen jeder einzelne sich in seinen verschiedenen Alltagsrollen bewegen muß (oder, wie es im Jargon der Postmodernen heißt: die wachsende Heterogenität der Diskurse), verändert zwangsläufig die Formen der Kommunikation – und zwar sowohl im politischen wie im ästhetischen Bereich. Denn wenn die monolithischen Weltanschauungen fragwürdig werden, relativiert sich auch die Hierarchie kultureller Verständigungsmittel: Da niemand mehr von sich behaupten kann, im Besitz letztgültiger Wahrheiten zu sein, kann auch niemand einen bevorzugten Rang für sein Medium, seine Sicht der Dinge und seine Sprachebene beanspruchen – womit die Demokratisierung der Verhältnisse endgültig das Dichteramt erreicht.

»Die Moderne wurde aus prinzipiellen Gründen uniformistisch«, schreibt Wolfgang Welsch und liefert damit auch eine Erklärung für die Zuneigung zu totalitären Ideologien, die zahlreiche moderne Autoren zeigten (Brecht etwa, oder Pound, Paul Eluard, Pablo Neruda, Benn, Majakowski, André Breton und Céline, die Liste ließe sich verlängern). Die ästhetische Moderne, fährt Welsch fort, »war im Wesen präskriptiv. Die Öffentlichkeit, an die sie sich wandte oder die sie sich vorstellte oder zu schaffen suchte, war eine anonyme, inexistente, eine allenfalls kosmopolitisch intendierte Öffentlichkeit. Und die Gefahren des Projekts gewannen

46

über die Chancen die Oberhand. Die Postmoderne setzt gegen die Uniformierung und die präskriptive Haltung der Moderne sich ab. Sie sucht die Vorreiterfunktion anders zu erfüllen. Sie wendet sich nicht an eine anonyme und hypothetische, sondern an eine konkrete und reale Öffentlichkeit. Und sie will nicht vorschreiben, sondern kommunizieren. Auch sie strukturiert, gewiß – aber nicht uniform, sondern plural.«[15]

Barry liebt seine Lyriker, doch vor diesen Einsichten verschließt er nicht die Augen, denn ihm ist klar: Wer an modernistischen Reinheitsgeboten festhält, der orientiert sich mit seinen Büchern nicht nur an irgendeiner verflossenen Ära und wird deshalb für die meisten Zeitgenossen unverständlich, nein, der *unter*fordert auch die ihm verbliebenen Leser, denn die sind längst sprach- und medientrainiert genug, um ganz unterschiedlichen Inhalten und Ausdrucksweisen gleichzeitig folgen zu können – wie zum Beispiel einer Hollywood-Party samt der Amtseinführung eines Präsidenten.

So bestanden Fiedler und nach ihm andere Postmoderne wie John Barth oder Umberto Eco frühzeitig darauf, daß es für den heroischen Ton und die Hermetik der modernen Literatur keine Notwendigkeit mehr gebe. Wenn kein halbwegs vernünftiger Leser mehr von Autoren umfassende Sinnstiftung erwartet und wenn die literarische Trauer um den Verlust des Sinns bis in das Schweigen und in die totale Isolation hinein wiederholt ausgemessen wurde, dann darf man mit Barth die Möglichkeit ins Auge fassen, daß wir »mehr *Finnegans Wakes* oder *Pisan Cantos*« samt dem »Stab an bestallten Professoren«, die sie für die Leser dechiffrieren, »wirklich nicht *brauchen*«[16].

Fiedlers Thesen zielen darauf, neben den intellektuellen Qualitäten der Kunst deren emotionale Aspekte wieder stärker zu betonen. Er will die hohe Literatur mit der trivialen versöhnen, da das priesterliche Reinheitspathos der modernen Dichtung sowohl seine Rechtfertigung wie seinen sozialen Resonanzboden eingebüßt hat. Er fordert damit keineswegs, die Differenzen zwischen den kulturellen Sphären einzuebnen, um sie sämtlich auf das Niveau von Bugs Bunny zu bringen. Vielmehr erwartet er von zeitgenössischen Schriftstellern, daß sie – wie die zeitgenössischen Leser – mehrere differente Sprachebenen zugleich beherrschen, daß sie Anspruchsvolles wie auch Triviales parallel zu formulieren verstehen (wobei trivial genaugenommen »für jedermann zugänglich« meint und erst im übertragenen Sinn »alltäglich, gewöhnlich, platt«). Charles Jencks nannte das »Doppelcodierung«[17]: Im Zeitalter der Postmoderne dürfe sich ein Kunstwerk nicht auf eine Sprachebene, einen Diskurs beschränken. Es müsse vielmehr die Kenner wie die große Öffentlichkeit ansprechen, müsse elitäre Bedürfnisse ebenso befriedigen wie populäre und moderne Elemente genauso aufnehmen wie traditionelle. Damit klingt die im ersten Kapitel erwähnte Forderung wieder an, ein ernst zu nehmendes Buch solle neben literarischen Qualitäten auch Unterhaltungsqualitäten haben, es solle bei der Lektüre Intellekt *und* Sinnlichkeit befriedigen. »Mein idealer postmodernistischer Autor«, schreibt John Barth, »lehnt seine modernistischen Eltern des 20. Jahrhunderts oder seine prämodernistischen Großeltern aus dem 19. Jahrhundert weder bloß ab, noch ahmt er sie einfach nach. Er hat die erste Hälfte unseres Jahrhunderts zwar im Kopf, aber nicht auf dem Hals. [...] Er kann nicht hoffen, die Verehrer eines James Michener und Irving Wallace zu erreichen und zu rühren – ganz zu schweigen von den gehirnamputierten Massenmedienanalphabeten. Hoffen aber *sollte* er, wenigstens zeitweilig anzukommen und zu erfreuen, auch jenseits des Kreises derer, die Thomas Mann die Urchristen zu nennen pflegte: die professionellen Liebhaber hoher Kunst.«[18] Tatsächlich erwiesen sich zahlreiche Romane, die zu den artifiziellen Werken der Postmoderne gehören, als überaus erfolgreich beim Publikum: Umberto Ecos *Der Name der Rose* (1980, dt. 1982) beispielsweise oder Patrick Süskinds *Parfum*

(1985), aber auch die Romane Italo Calvinos und Milan Kunderas, Don DeLillos *Sieben Sekunden* (1988, dt.1991) oder Christoph Ransmayrs *Die letzte Welt* (1988).

Mit diesem Rückgriff auf vertraute literarische Formen verletzt die Postmoderne natürlich das im vorangegangenen Kapitel angegriffene Innovationsgebot der modernen Ästhetik. Sie sucht nicht mehr, wie die verschiedenen Avantgarde-Bewegungen in der ersten Jahrhunderthälfte, den rigorosen Bruch mit der traditionellen Kunst, sondern einen klugen Anschluß an Moderne *und* Tradition. Sie ist, nicht zuletzt aufgrund ihrer Zweifel an den Geschichtsphilosophien, mißtrauisch geworden gegen jeden naiven Fortschrittsglauben – und damit gegen die inzwischen zur Konvention verkommene Vorstellung, die Kunst könne durch das Experiment, durch ständige formale Neuerungen kommende Wahrheiten antizipieren. Dieser Forderung nach unentwegter Innovation liegt aus postmoderner Sicht eine falsche Gleichsetzung von Wissenschaft und Kunst zugrunde. Während die Naturwissenschaften immer mehr und genauere Kenntnisse über ihre Gegenstände erlangen, sind die Epochen der Kunst letztlich gleichrangig: Von seiner individuellen Meisterschaft abgesehen, steht Shakespeare dem Wesen der Literatur ebenso nah wie Joyce oder Homer, steht Heine ihm nicht ferner als Goethe oder Thomas Mann. Was, nebenbei gesagt, einer historischen Betrachtung und Beurteilung ihrer Werke nichts in den Weg legt.

Damit relativiert sich auch der Anspruch der modernen Literatur auf Originalität, die emphatische Forderung nach dem eigenen Ton eines Autors, nach seiner höchst individuellen, noch nie dagewesenen Schreibweise. Der Schriftsteller der Postmoderne sieht sich mit der schier endlosen Klaviatur von Sprachebenen in unserer Gegenwart konfrontiert. Statt einen zusätzlichen, mit seinem persönlichen Signum versehenen Ton zu etablieren, reizt es ihn, auf der gesamten vorhandenen Klaviatur zu spielen – was ihn nicht daran hindert, seinem Spiel einen unverwechselbaren Rhythmus und

Charakter zu geben. Da er sich vor seinem Publikum nicht durch irgendwelche endgültigen Gewißheiten ausgezeichnet fühlt, braucht er seinem Text auch keine besondere, herausgehobene Sprache zu geben. Er will seine Leser weder belehren noch sie durch besonders kostbare Ausdrucksmittel einschüchtern. Er stellt vielmehr ein unausgesprochenes Einverständnis mit ihnen her: Sie kennen die Klaviatur wie er selbst, und er weiß, daß sich bei ihnen, sobald er eine Taste anschlägt, bestimmte Erwartungen, Assoziationen oder Erinnerungen einstellen. Da er dieses Vorwissen in seine artistische Kalkulation einbezieht, kann er sein Publikum mit verblüffenden und ironischen Kontrasten oder Harmonien konfrontieren – also letztlich mit neuen Sichtweisen, die intellektuelle Erstarrung verhindern helfen.

Diese Vorliebe für das Pastiche, für die Anspielung und das Zitat, das Faible für die Aneignung aktuell verbreiteter oder die Nachahmung historischer Schreibweisen hat manche Kritiker dazu verführt, die Theoretiker der Postmoderne vorschnell mit denen des Dekonstruktivismus in einen Topf zu werfen. Für beide gewinnen die Bezüge zwischen den einzelnen Sprachebenen eines Textes, seine Rückgriffe auf andere Bücher oder ältere Tonlagen einen zentralen Rang. Doch die dekonstruktivistische Schule Paul de Mans versucht in aufwendigen Interpretationen nachzuweisen, daß große Werke eine Bedeutungsvielfalt entwickeln, die es unmöglich macht, ihnen einen außerliterarischen Sinn zuzuordnen: Die Literatur bleibe gefangen im Netz intertextueller Zusammenhänge und sprachlicher Differenzen, sie habe der Realität nichts zu sagen.

Die Vordenker der Postmoderne dagegen, Eco, Barth und allen voran Fiedler, betrachten eine solche zunehmende Distanz zwischen Literatur und Leben als Anzeichen einer modernistischen Erschöpfung oder einer Selbstisolation – wie sie sich auch in der beschriebenen Kluft zwischen der Arbeit vieler deutschsprachiger Autoren und ihren Lesern dokumentiert. Eines der erklärten Ziele der Postmodernen ist es, die Sprache der Schriftsteller wieder anzunähern an das hochkomplexe Geflecht alltäglicher Sprachebenen, damit sie dort ihre Ausstrahlungskraft entfalten kann: »Eine neue Literaturkritik wird selbstverständlich nicht in erster Linie befaßt sein mit Fragen der Struktur, Diktion oder Syntax; diese setzen ja voraus, daß das Kunstwerk ›wirklich‹ existiert auf der Seite Papier und nicht in der Aneignung und dem Verständnis des Lesers. Nicht Wörter auf dem Papier, sondern Wörter im Leben, oder besser, Wörter im Kopf, in der intimen Verknüpfung von tausend Zusammenhängen – sozialen, psychologischen, historischen, biographischen, geographischen – im Bewußtsein des Lesers [...]: Sie werden Gegenstand zukünftiger Kritiker sein.«[19]

Dieses beständige Spielen

1910 rezensierte Hermann Hesse in seiner Zeitschrift *März* den neuen Roman *Königliche Hoheit* von Thomas Mann. Ein heikles Unterfangen, schließlich waren die zwei angehenden Großschriftsteller gleichsam Hausgenossen, beide veröffentlichten ihre Bücher im S. Fischer Verlag. Seit ihrer ersten Begegnung, die Samuel Fischer sechs Jahre zuvor in München arrangiert hatte, konnten die so unterschiedlichen Männer eine gewisse eifersüchtige Reserve nicht ablegen, es war noch keineswegs ausgemacht, ob sie Verbündete oder Rivalen werden würden. Hesse ging denn auch in seiner Kritik nicht sehr schonend mit Manns Buch um. Er bezeugte dem Kollegen erst wortreich Respekt, um ihm dann vorzuwerfen, den Leser mit »schlechten Scherzen [...] bald zu locken bald zu düpieren«. Er fragte sich, warum Mann nicht seine »Antreibereien des Publikums entbehren« könne, denn »dieses beständige Spielen mit dem Leser setzt ein beständiges Denken an den Leser voraus, und dieses Denken gehört nicht zu den Voraussetzungen für das Gelingen reiner Kunstwerke.«[20]

Nachdem ihm Hesse den Artikel zugesandt hatte, bedankte sich Thomas Mann in einem Brief artig für die Besprechung, die ihm »eine wirkliche Freude bereitet« habe. Ausdrücklich begrüßte er Hesses Diagnose, »daß zweierlei oder mancherlei Leute bei meinen Sachen auf ihre Kosten kommen«, betonte, daß die »populären Elemente« in seinem Werk »ebenso ehrlicher und instinktiver Herkunft wie die artistischen« seien, und schloß: »Die Künstler, denen es nur um eine Coenakel-Wirkung zu thun ist, war ich stets geneigt, gering zu schätzen. Eine solche Wirkung würde mich nicht befriedigen. *Mich verlangt auch nach den Dummen.*«[21]

Übersetzt in die Terminologie der Postmoderne, läßt sich der letzte Satz Manns als entschiedenes Bekenntnis zur Doppelcodierung verstehen. Er greift den Vorwurf Hesses, wonach er dem Leser »scheinbar entgegenkommt, ihm Erleichterungen und Eselsbrücken bietet«, selbstbewußt auf und wendet ihn ins Positive: Sein Verständnis von Literatur beschränkte sich nicht darauf, feinsinnige und anspielungsreiche Texte zu formulieren, sondern er wollte ihnen dazu noch eine fürs Publikum attraktive, anziehende Gestalt geben. Vor Hesses Begriff des »reinen Kunstwerks« dagegen und der Frage, was diesem angemessen sei, dürfte er einigermaßen ratlos gestanden haben.

Thomas Mann, ein Postmoderner? Die Behauptung klingt abenteuerlich. Doch folgt man Umberto Ecos typologischer Definition, ist die Postmoderne »keine zeitlich begrenzbare Strömung«, sondern »eine Geisteshaltung«[22] – die Eco bis zum Manierismus zurückverfolgt. Es ist eine Haltung, die bewußt Abschied nimmt von Ideologien oder allgemeingültigen Sinnentwürfen, eine Haltung, die angesichts der geschichtlichen Erfahrungen und der Erschöpfung der modernen Ästhetik in jüngster Zeit immer häufiger auch in der deutschsprachigen Literatur anzutreffen ist. Erstmals erreichte der Begriff Postmoderne 1968 hierzulande eine größere literarische Öffentlichkeit, als Leslie A. Fiedler während eines Symposiums an der Freiburger Universität anhand einiger Notizen einen Stegreifvortrag mit dem Titel »The Case for Post-Modernism« hielt. Glaubt man zeitgenössischen Berichten, erregte er während der Veranstaltung – aber auch danach – die Gemüter vor allem mit seiner Forderung, den Graben zwischen hoher und trivialer Literatur, zwischen E und U zuzuschütten. Dagegen fand seine pauschale und etwas vorschnelle Verabschiedung der Moderne damals größtenteils Zustimmung – was aus heutiger Perspektive überrascht. Fiedler schrieb seine Freiburger Rede auf Bitten der Wochenzeitung *Christ und Welt* nieder, die den Text dann in zwei Folgen am 13. und 20. September 1968 veröffentlichte. In den folgenden beiden Monaten entwickelte sich in der Zeitung unter Autoren und Kritikern eine lebhafte Debatte.[23] Die Beiträge lassen bereits viele jener Reaktionsmuster erkennen, die später die deutsche Diskussion um die Postmoderne bestimmen sollten: Die Einwände reichten von fortschrittsfixierten Durchhalteparolen und prinzipiellem Mißtrauen gegen die rational nicht zu fassende Ausstrahlungskraft der Mythen über den Versuch, die Wasser der Postmoderne auf reaktionäre, anti-moderne Mühlen zu lenken, bis hin zur blanken barrikadenstürmenden Begeisterung.

Auch in einigen deutschsprachigen Büchern dieser Jahre lassen sich erste, noch schüchterne postmoderne Ansätze ausmachen. Vor allem in den von der zeitgenössischen amerikanischen Lyrik beeinflußten Gedichten Brinkmanns, aber auch in Hubert Fichtes *Palette* (1968) und in einigen frühen Romanen von Peter Handke mischen sich spielerisch triviale mit traditionell hohen Sprechweisen.[24] Die Autoren verwenden den Film, den Sport oder die Subkultur bewußt als populäre Motivfelder in Büchern, die gleichzeitig höchst anspruchsvolle ästhetische Programme verfolgen. Doch dieser zarte Auftakt blieb ohne Folgen: Er ging allzu bald wieder verloren in der – von der Studentenbewegung vorangetriebenen – Ideologisierung der Literatur samt dem nachfolgenden Rückzug in die Neue Subjektivität. Wie schnell jener erste Impuls in der literarischen Diskussion von politischen Posaunenstößen überdeckt wurde, zeigt schon die Tatsache, daß ungefähr zeitgleich mit der Debatte in *Christ und Welt* im November 1968 das legendäre *Kursbuch 15* erschien: Hier war nicht mehr vom Tod der modernen Literatur die Rede, sondern hier wurde der »Tod der bürgerlichen Literatur« verkündet, da man endgültig die »gesellschaftliche Funktion jeglicher Literatur als das Entscheidende« verstanden und »die künstlerische Funktion als eine beiläufige«[25] erkannt habe.

Erst als Jürgen Habermas 1980 die Postmoderne in seiner Frankfurter Adorno-Preisrede attackierte und als neokonservativ abqualifizierte, reüssierte der Begriff wieder, wenn auch mit einem abschreckenden Vorzeichen, in der intellektuellen Debatte des Landes. Habermas hat seine Vorwürfe, die sich vor allem an neuen Tendenzen der Architektur entzündeten, in den folgenden Jahren differenziert und zum Teil zurückgenommen[26]. Dennoch werden Überlegungen zur postmodernen Ästhetik bis heute gern unter den Verdacht gestellt, undurchschaubare Absichten undurchschaubarer rechter Kräfte zu verfolgen. Nicht zuletzt der von Andreas Huyssen und Klaus R. Scherpe herausgegebene Band *Postmoderne – Zeichen eines kulturellen Wandels* und Hanns-Josef Ortheils Aufsatz *Was ist postmoderne Literatur?* brachten den Begriff dann hierzulande auch ins Bewußtsein einer größeren literarischen Öffentlichkeit zurück[27] und haben dazu beigetragen, politische Ressentiments abzubauen, indem sie als wesentliches Kennzeichen der Postmoderne vor allem die Doppelcodierung hervorhoben – jene Zweigleisigkeit, die John Barth am Beispiel Italo Calvinos beschreibt: »Als wahrer Postmodernist steht Calvino mit einem Bein immer in der erzählerischen Vergangenheit [...] und mit dem andern Bein, so könnte man sagen, in der strukturalistischen Pariser Gegenwart: mit einem Bein in der Phantasie, dem andern in der objektiven Realität.«[28]

Schon allein dieser Spagat, aber auch die grundlegende Skepsis vereinheitlichenden Konzepten gegenüber haben unter den postmodernen Autoren eine Neigung zu einem Erzählen voller Zwischenschritte, Abschweifungen, Rückblicke oder Vorgriffe befördert. Sie beschreiben eine labyrinthische Welt – und also muten sie ihren Lesern vertrackte Plots zu, in denen die Konflikte nicht entschieden, sondern in der Schwebe gehalten werden. Jenseits allen ideologischen Denkens, das manichäisch zwischen Gut und Böse unterscheidet, bleiben ihre Geschichten uneindeutig, schillernd, ambivalent. So entwirft zum Beispiel Ulrich Woelk in seinem Roman *Rückspiel* (1993) in einer Serie spannungsfördernd verschachtelter Rückblenden zunächst ein reichlich idealtypisches Generationspanorama der westdeutschen Nachkriegsära. In der zweiten Hälfte des Buches aber, die sich bezeichnenderweise um den Fall der Berliner Mauer – also um den Schlußakkord der Nachkriegsepoche – kristallisiert, wird diese schlichte Ordnung Schritt für Schritt aufgesprengt. Je tiefer Woelks Held in die Vergangenheit der Figuren eindringt, desto deutlicher erkennt er, daß jenes Geschichtsbild letztlich eine Fassade ist, hinter der die einzelnen mit ihrer erlebten Wahrheit verborgen sind. Er bleibt zurück ohne historische Sicherheiten, den Kopf voll zahlloser Erinnerungen, die sich vexierbildhaft über- und ineinanderschieben, nie aber ein schlüssig deutbares Muster ergeben (vgl.: S.127 – 131).

Eine eindrucksvolle Metapher für diese bodenlose Lebenssituation hat Woelk auch in seinem ersten, ebenfalls durch eine komplexe Rückblendentechnik geprägten Roman *Freigang* (1990) gefunden: Der Physiker Zweig muß nach einem Nervenzusammenbruch unfreiwillig ein paar Wochen in einem Sanatorium verbringen. Da er die Behandlungsmethoden seines Arztes durchschauen will, notiert er auf Karteikarten die Themen, die während der Therapiegespräche angeschnitten werden. Danach versucht er die Karten in eine sinnvolle Ordnung zu bringen, um die intellektuelle Basis des Psychiaters – und damit des vorgeblich gesunden Denkens – systematisch aufzudecken. In einer heilsamen Krise wird ihm aber klar, daß es die geistige Grundlage, nach der er fahndet, nicht gibt – seine Karten schließen sich wie von selbst zusammen zu Kreisen ohne Kern: »Es gibt kein zentrales Motiv. Nichts gehört in die Mitte.«[29] Eine Geschichte, die auf einen solchen – fehlenden – Fluchtpunkt zusteuert, kann, das liegt auf der Hand, kaum linear erzählt werden (vgl.: S. 122 – 127).

Zu den Lieblingsfiguren der postmodernen Literatur gehören, wie auch Woelks Romane belegen, der Rechercheur, der Entdecker oder der Detektiv.[30] Sie werden von den Schriftstellern auf den Weg gebracht, einer bestimmten Frage auf den Grund zu gehen, ein Geheimnis zu lüften, Unbekanntes zu erkunden. Aber in einer Welt, in der sich die Idee eines zentralen Sinns nicht mehr ausmachen läßt und die also unergründlich bleibt, müssen sie naturgemäß scheitern. Sie entpuppen sich als Helden der Vergeblichkeit, die nie ihr Ziel erreichen, niemals finden, wonach sie forschen. So kann John Franklin in Sten Nadolnys *Die Entdeckung der Langsamkeit* (1983) zwar schließlich die ganze Nordwestpassage kartographieren; da sie jedoch im ewigen Eis liegt, muß er einsehen, daß sie für die Schiffahrt wertlos ist. Ähnliches gilt für den Werbegraphiker Michael Jessen, dem es in Klaus Modicks *Das Grau der Karolinen* (1986) gelingt, alles über Herkunft und Entstehung eines unbekannten Gemäldes zu ermitteln, für den aber die beängstigende Wirkung des Bildes auf die Betrachter dennoch ein Rätsel bleibt. Ole Reuter schließlich, der Held aus Nadolnys *Netzkarte* (1981), durchkämmt das Kursbuch der Bundesbahn – das Werk einer großangelegten (Verkehrs-)Ordnung – leidenschaftlich nach idealen Zug-verbindungen, hat aber gar kein Ziel und läßt sich all seinen Kalkulationen zum Trotz zufällig durch Deutschland treiben.

Exemplarisch ist auch das Schicksal des Amateurdetektivs Cotta, den Christoph Ransmayr in seinem Roman *Die letzte Welt* nach dem verbannten Ovid fahnden läßt: Er kann an dem obskuren Exilort des Dichters – dessen Bewohner ihre Gestalt ständig ändern und die deshalb ebenso ungreifbar wie unbegreifbar sind – weder den Gesuchten ausfindig machen noch dessen Manuskript der *Metamorphosen,* das zu verbrennen Ovid angekündigt hat. Ransmayr verknüpft so das Thema der vergeblichen Recherche mit einem anderen postmodernen Lieblingstopos: mit dem des verlorenen, verschollenen Buches – also mit einer Metapher für den Verlust einer codifizierten, überlieferbaren Weltdeutung. Wie in Ecos *Name der Rose* das legendenumwobene zweite Buch der *Poetik* des Aristoteles zusammen mit der Klosterbibliothek in Flammen aufgeht, so wird in Klaus Modicks »Romanverschnitt« *Weg war weg* (1988) einem mit goldigem Gemüt begabten Schriftsteller das Auto samt unersetzbarem Manuskript entwendet. Gründlicher geht da der Amerikaner Don DeLillo in *Mao II* (1991, dt. 1992) vor, wenn er nicht nur ein Buch, sondern gleich auch noch dessen medienscheuen Starautor vor der Küste Beiruts verschwinden läßt. In Michael Krügers Novelle *Das Ende des Romans* (1990) streicht ein Schriftsteller sein gerade vollendetes achthundertseitiges Opus vor dem Druck bis auf ein winziges Bruchstück zusammen – und entzieht seinen Text auf diese Weise den Augen der Leser. Noch konsequenter ist der Held von John Barth' Roman *Tidewater Tales* (1987), der sein Manuskript kürzt, bis nur noch der Titel übrigbleibt, und schließlich auch von diesem nur einen einzigen Buchstaben stehen läßt.

Im deutschen Literaturbetrieb schlägt der Postmoderne nicht zuletzt wegen ihrer prinzipiell unfeierlichen, ironischen Haltung – die sich auch auf die Literatur selbst und die Formen ihrer Präsentation erstreckt – besonderes Mißtrauen entgegen. Offenbar ist bei uns der Sinn für das, was der Amerikaner Raymond Federman einmal »Laughterature« genannt hat, nicht sonderlich ausgeprägt. Hinter dieser Lust am Lachen steckt allerdings mehr als nur die Abkehr vom programmatischen Ernst der modernen Literatur, die den Zerfall der Wertetotalität betrauert. Das Komische ist nämlich, wie es bei Kant heißt, die Ausdrucksform für die Freude am »Widersinnigen«, an der Zerstörung des Sinns – woran zwar »der Verstand an sich kein Wohlgefallen finden kann«[31], wohl aber die nicht vom Verstand dominierten Bewußtseinsbereiche. Dieser allen umfassenden Ordnungen feindlich gegenüberstehende, weil auf Grenzverletzungen zielende Grundzug der Komik ist es denn auch, den Umberto Eco indirekt feiert, wenn er im Finale seines Rosen-Romans den religiösen Dogmatiker und Mörder Burgos zu einer Verdammungsrede auf die Komödientheorie des Aristoteles ausholen läßt[32].

Ein schmales literarisches Refugium hat das Lachen hierzulande in der Lyrik gefunden. So jonglieren Peter Rühmkorf und Hans Magnus Enzensberger[33], Rolf Dieter Brinkmann, Robert Gernhardt und Dirk von Petersdorff in ihren Gedichten nicht nur bewußt mit höchst gegensätzlichem Sprachmaterial, das nach traditionellen Maßstäben zum größten Teil lyrikunwürdig wäre. Die Autoren verstehen es darüber hinaus, aus diesem kunstvoll erzeugten, aber nie gravitätisch vorgetragenen Tonlagen-Patchwork komische, sprich: sinnvernichtende Funken zu schlagen.

Ein schönes, aber wenig bekanntes Beispiel postmoderner Prosa mit dezidiert komischem Anspruch sind die *Bettgeschichten* (1981) von Bernd Eilert: sieben Erzählungen in sieben von berühmten Vorbildern ausgeliehenen Tonfällen, die sich zunächst eng an literarische Genrekonventionen halten, um dann in paradoxe Pointen zu münden. Eine solche Mixtur aus Anverwandlung und indirektem Zitat, erfüllter und enttäuschter Lesererwartung muß natürlich, wie Eilert weiß, nach modernen ästhetischen Kriterien »an einigen Stellen ziemlich hohl klingen«. »Es wäre«, setzt er hinzu, »sehr freundlich, das als Absicht zu nehmen«[34]. Vielleicht erschienen diese Geschichten einfach zu früh – immerhin ein Jahr vor der deutschen Fassung von Ecos

Name der Rose und vier Jahre vor Süskinds *Parfum* –, um als kluge, kunstgerechte Pastiches erkannt zu werden, die ebenso amüsant wie subversiv sind.

Komische Momente finden sich auch im *Parfum*, dem vielleicht meistgescholtenen, aber mit Sicherheit auch meistgelesenen Buch der deutschsprachigen Postmoderne. Während es hierzulande von Germanisten eher pauschal abgetan denn analysiert wird, weist die in Harvard lehrende Judith Ryan nach, welche vielfältigen, ironisch gebrochenen Anspielungen dieser Pastiche-Roman enthält. Er ist eine elegant getarnte Reise durch die Literaturgeschichte, eine Parforcejagd durch die »bekannte Topographie nicht einer Berglandschaft, sondern der deutschen Lyrikanthologie«[35], die den in Deutschland so verbreiteten Künstlerkult kritisiert: Der dämonische Duftmischer Grenouille gibt sich auf den zweiten Blick als begnadete Parodie auf das seit dem Sturm und Drang gepflegte Bild des Genies zu erkennen – zusammengebaut aus Versatzstücken der unter dem Eindruck der Genieästhetik entstandenen Literatur (vgl.: S. 140 – 145).

Scheinbar ins Tragische wendet Robert Schneider das gleiche Motiv, wenn er in *Schlafes Bruder* (1992) einen großen Musiker an seinen bornierten Mitmenschen scheitern läßt. Schneider schlägt eine historisierende Sprache mit sehr leisen parodistischen Untertönen an und scheut nicht vor abgenutzten Handlungsmustern zurück – auch hier sind es die wohlbekannten Stereotypen des deutschen Künstlerromans: von der plötzlichen Erweckung des Genies und seiner heroischen Einsamkeit über seine selbstverständliche Vertrautheit mit transzendenten Phänomenen bis hin zur leibhaftigen Erscheinung eines höheren Wesens. Ein zusätzliches ironisches Element verleiht Schneider seinem Pastiche, indem er diese Klischees effektvoll konfrontiert mit jenen der sozialkritischen Bauernliteratur: mit prügelnden Vätern, bigotten Müttern, geilen oder verkalkten Pfarrern, mit Feuersbrünsten, Inzest und Aberglaube, mit den in solchen Büchern schon zum festen Inventar gewordenen Schilderungen der angeblichen Gefühlsarmut, alltäglichen Brutalität, Denkfaulheit und Sprachunfähigkeit der Landbevölkerung.

Bezeichnend auch das Finale des Buches. Der verkannte Virtuose schiebt die Musik beiseite und erklärt die Liebe zu einem Mädchen zum einzigen Wert seines Lebens. Es ist der Versuch, seiner Existenz eine klare Ordnung zu geben, doch da er diese Ordnung mit quasi-religiöser Besessenheit und Konsequenz verfolgt, unterschreibt er letztlich das eigene Todesurteil: Denn wer keine Ablenkungen zulassen und immer nur lieben will, darf nicht einmal schlafen, weil man im Schlaf, so meint er, erkannt zu haben, nicht liebt – und also stirbt er bald darauf an den Rauschmitteln, mit denen er sich wach zu halten sucht.

In dieser grotesken Szene deutet sich allerdings indirekt ein ebenso lebenskluger wie melancholisch stimmender Aspekt der postmodernen Skepsis an. Mit dem Abschied von den Einheitsideen und dem Bekenntnis zur Eigenständigkeit der Teile geht auch ein alter literarischer Traum dahin: der von der Unio mystica in der Liebe, dem Verschmelzen zweier einzelner im weltumfassenden Gefühl ihrer Gemeinsamkeit. Der Wunsch danach bleibt, doch es gibt keine Hoffnung, ihn zu erfüllen. Wie vor einem solchen Hintergrund ein postmoderner Liebesroman aussehen kann, zeigt Dagmar Leupolds *Edmond: Geschichte einer Sehnsucht* (1992). Zufall, nicht Bestimmung oder Seelenverwandtschaft, führt zwei Menschen zusammen, die sich vorübergehend ergänzen, genießen und stützen, die aber immer auch auf ihrer Individualität bestehen, auf ihren höchst eigenen Lebensentwürfen, und die sich deshalb schon beim ersten Flirt über die kommende Trennung im klaren sind. Die beiden nähern sich einander an, aber sie werden nicht unzertrennlich, sie halten Verbindung zum anderen auch über Kontinente hinweg, ohne sich je an ihn zu verlieren. Jeder bleibt er selbst und bei sich – auch der Sohn, den die

Erzählerin schließlich zur Welt bringt, ist kein Symbol der Vereinigung mit ihrem Geliebten, sondern steht für eine neue Individualität: »Er gleicht niemandem.«[36]

Der andere ist unerreichbar – auch wenn Dagmar Leupolds Figuren diese Erkenntnis akzeptieren, sind sie nicht kaltschnäuzig. Sie leiden an ihr, aber sie leiden ohne Larmoyanz, denn selbst zu ihrem Schmerz haben sie ein ironisches Verhältnis: Sie können ihn einfach nicht in den Mittelpunkt ihrer Welt rücken, da es für sie einen solchen Mittelpunkt nicht gibt.

Vielleicht gehört gerade das zu den sympathischsten Zügen der Postmoderne: Sie ist eine Sezession, die nicht mit revolutionärer Geste auftritt oder nie Dagewesenes zu schaffen verspricht – denn auf diese Weise würde sie Teil einer Tradition, von der sie sich abzusetzen versucht. Sie verkündet nicht neueste ästhetische Dogmen, sondern will, so Sten Nadolny, an die »vitalen Selbstverständlichkeiten des Erzählens«[37] erinnern. Nachdem die Literatur lange im Bann der großen Ideologien stand oder die Leere nach dem Zerfall der umfassenden Sinnsysteme beklagte, möchte die Postmoderne die ureigenen Qualitäten der Literatur ins Gedächtnis rufen. Der Verlust an Glaubwürdigkeit soll in einen Gewinn verwandelt werden. Auch das ein bekannter Vorgang: Die vermeintliche Schwäche wird durch den Künstler in eine Stärke umgemünzt. So eignet sich die Postmoderne nicht zum Dernier cri, denn sie möchte weder der jüngste Schrei sein noch der letzte.

Postmoderne versus Potpourri

Doch alles das heißt weder, postmoderne Literatur sei per se und in jedem Fall die bessere Literatur, noch, man könne sich von ihr in jedem Fall eine lustvolle Lektüre versprechen. Schließlich kennzeichnet der Begriff Postmoderne nur eine Schreibhaltung, nicht ein schriftstellerisches Patentrezept.

Die Postmoderne wendet sich lediglich von einigen überlebten und banalisierten ästhetischen Lehrsätzen ab, die hierzulande noch immer weitgehend unbefragt nachgebetet werden. Zudem erinnert sie an die »vitale Selbstverständlichkeit«, daß gute Bücher neben einem hohen intellektuellen Rang eben auch sinnliche, unterhaltende Qualitäten haben müssen. In anderen Weltgegenden, zumal in den englischsprachigen Ländern, haben, wie gesagt, viele Schriftsteller die überlebten Lehrsätze der Moderne seit langem hinter sich gelassen. Sie gewannen so literarische Spielräume und Freiheiten, die bei uns bis heute noch viel zu oft ungenutzt bleiben. Die Leser, diese Vermutung liegt nahe, spüren das bewußt oder auch instinktiv und entscheiden sich für jene Literatur, in der die Chancen der Epoche tatsächlich ausgeschöpft werden – und die folglich attraktiver für sie ist.

Dennoch wäre es dumm, die Augen davor zu verschließen, daß natürlich auch ein postmodernes Werk auf Grund seiner Eigenarten mißlingen kann oder jener gerade eroberte ästhetische Spielraum gleich wieder verspielt wird. Tatsächlich läßt sich bei manchen Schriftstellern die Neigung ausmachen, das Zusammensperren vollkommen disparater Handlungselemente in einem Buch bereits für einen postmodernen Geniestreich zu halten, das Zitieren großer Vorbilder als einen Wert an sich zu betrachten und eine heillos verrätselte Geschichte, die nicht aufgelöst, sondern abgebrochen wird, als erzählerische Kritik an traditioneller literarischer Sinnstiftung und an einem monolithischen Vernunftbegriff auszugeben. Indem solche Autoren jede ästhetische Kohärenz zugunsten der Ordnung des Potpourris aufgeben und die inneren Bezüge ihrer Texte in einen Nebel vager Anspielungen und Bedeutungen auflösen, betreiben sie, was der Postmoderne gebetsmühlenhaft vorgeworfen wird: Sie verwechseln Pluralität mit Beliebigkeit, sie schaffen in ihren Büchern nicht Raum für eine unideologische, die Kommunikation mit dem Leser suchende und seine Souveränität herausfordernde Lektüre, sondern bieten nur eine zusammengewürfelte Anhäufung von Einfällen oder Effekten.

Ein Beispiel für ein derartiges Mißverständnis der Postmoderne sind für mich die Romane des Amerikaners Paul Auster. In ihnen finden sich etliche Motive, die sich postmodernem Denken zuordnen lassen. So befinden sich seine Hauptfiguren oft auf letztlich ergebnislosen Recherchen – unter anderem nach verschwundenen Schriftstellern (*Hinter verschlossenen Türen,* 1986, dt.1989) – oder fühlen sich beunruhigt durch die Rätsel eines unvollendeten Manuskripts (*Leviathan* 1992, dt.1994). Zudem versteht es Auster, sein Publikum zu unterhalten, genauer gesagt: es in Atem zu halten. Bei ihm ist immer etwas los. Kaum hat er eine Geschichte begonnen und richtig in Schwung gebracht, bremst er plötzlich wieder ab, ändert die Richtung und rast mit seinen Figuren in neue, ganz andere Abenteuer hinein. Ob durch solche erzählerische Willkür die Glaubwürdigkeit oder die psychologische Plausibilität seiner Bücher zum Teufel geht, kümmert ihn offenbar wenig, Hauptsache: Action. So wird bei ihm im *Mond über Manhattan* (1989, dt.1990) aus einer Aussteigerstory mit einem Mal eine Romanze, die sich unvermittelt in eine biographische Nachforschung verwandelt, um schließlich in einen Vater-Sohn-Konflikt zu münden. In *Die Musik des Zufalls* (1990, dt.1992) verfährt er ähnlich: Das Buch beginnt als Abrechnung mit einem verfehlten Leben, geht über in eine wacker erzählte Kriminalstory, bevor es in einer symbolschwangeren Parabel auf die Absurdität des Daseins und die Vergeblichkeit allen Tuns endet.

Überdies liebt Auster das Pastiche. Eisern siedelt er seine Romane in der Nähe populärer Kino-Genres an: So bedient er sich bei den Motiven der Detektivgeschichte (*Schlagschatten* 1986, dt.1989), des Psycho-Thrillers (*Stadt aus Glas* 1985, dt.1987) oder des Polit-Krimis (*Leviathan*), so benutzt er die apokalyptischen Kulissen jener Filme, die das Leben nach einem atomaren Weltuntergang schildern (*Im*

Land der letzten Dinge, 1987, dt.1989), oder er plündert die Mythen des Westerns (*Mond über Manhattan*). In *Die Musik des Zufalls* stößt man auf Anleihen beim Road-Movie und beim typisch amerikanischen Straflager-Melodram samt prügelnden Aufsehern und Ausbruchsversuch. Jeder halbwegs kinoerfahrene Zeitgenosse findet sich also in Austers Büchern sofort zurecht – was ihnen zunächst einmal einen Sympathie-Vorschuß einträgt.

Doch derlei medienübergreifende Zitate machen eben noch keinen Romancier. Die literarischen Versatzstücke und die Fertigteile aus der Filmgeschichte, die Auster flüchtig montiert, mögen seinen Büchern auf den ersten Blick einen postmodernen Anstrich geben, doch entwickeln sie letztlich keine Einheit. Unentwegt hantieren die Figuren bedeutungsvoll mit Requisiten, die dann für die Geschichte funktionslos bleiben. Immer wieder begegnet man blinden Motiven oder auch Handlungssträngen, die der Autor zunächst mit viel Aufwand verfolgt, bevor er sie sang- und klanglos in der Versenkung verschwinden läßt. Zugegeben, die Romane entwickeln so rasch eine geheimnisvolle Struktur, aber man wird den Verdacht nicht los, diese Struktur entbehre jedes ästhetischen Kalküls. Sie bilden ein literarisches Pendant zu der Ende der siebziger Jahre erbauten »Piazza d'Italia« in New Orleans, für die der Architekt Charles Moore die Baustile aller Jahrhunderte benutzte, sie aber nicht bewußt kontrastiert oder ironisch kombiniert, sondern hemmungslos verrührt zu einem knalligen Kulissenkitsch.

All das ist nicht zuletzt deshalb störend und irritierend, weil man an einzelnen Passagen von Austers Romanen sehr genau merkt, wie gut dieser Autor schreiben kann, wenn er seine Eitelkeit und sein literarisches Imponiergehabe vergißt. In den Momenten, in denen er seine Leser nicht durch Anspielungen zu beeindrucken, durch Gedankensprünge zu verblüffen oder durch herbeigezwungene Rätsel einzuschüchtern versucht, in diesen Momenten erweist er sich als ein talentierter Erzähler, dem man durchaus die Kraft zutraut, einen großen Roman über die merkwürdige Sehnsucht seiner Helden zu schreiben: über ihren Versuch, die Vergangenheit loszuwerden, jedes Eigentum abzuschütteln, alle Kontakte rücksichtslos zu kappen, um endlich frei und ungehindert sie selbst sein zu können – auch wenn sie dafür mit ihrem Untergang bezahlen müssen. In den acht Jahren von 1985 bis 1992 hat Auster sieben Romane publiziert, und in allen erleben die Hauptfiguren nach genau diesem Schema ihren totalen Ruin. Sie verlieren alles: Arbeit und Geld, Bindungen und Besitz, Freunde und Familie. Schließlich stehen sie mit leeren Händen und von aller Welt verlassen mitten im Nirgendwo. Natürlich kann man nicht behaupten, daß sie sich dabei gut amüsieren, aber ihr rasanter Niedergang vollzieht sich doch jedesmal mit ihrer Zustimmung und verschafft ihnen eine merkwürdige Befriedigung. Die Beharrlichkeit, mit der Auster dieses Thema verfolgt, verrät eine Besessenheit, die von ihm literarisch noch einiges erhoffen läßt.

Mit einer vergleichbaren Beharrlichkeit, aber mit weitaus größerer thematischer Spannweite verfolgt Sten Nadolny die entgegengesetzte Entwicklung: Er beobachtet die Helden seiner vier bislang erschienenen Romane dabei, wie sie ihr bürgerliches Leben einrichten, nicht, wie sie es zugrunderichten. Das klingt zunächst harmlos, doch wird es von Nadolny auf eine höchst vertrackte, kluge und zugleich attraktive Art erzählt. Ich möchte sein Werk im folgenden Kapitel als erstes von drei gelungenen Beispielen für deutschsprachige Literatur mit postmodernen Merkmalen vorstellen.

Das souveräne Erzählen und die Hühnerknochen
Sten Nadolny – Poetik der Verantwortung

> »Anstatt sich auf die Unterscheidung
> zwischen Erscheinung und Wirklich-
> keit zu berufen, stellt der Romancier
> eine Vielfalt von Standpunkten dar,
> eine Mehrzahl von Beschreibungen
> derselben Ereignisse. [...] Was er
> besonders heroisch findet, ist nicht die
> Fähigkeit, alle Beschreibungen außer
> einer einzigen zu verwerfen, sondern
> die Fähigkeit, sich zwischen den
> verschiedenen Beschreibungen
> hin und her zu bewegen.«
> Richard Rorty
> *Heidegger, Kundera und Dickens*

Wenn Selim erzählt, ist er wie ein Weiser aus dem Morgen-
land. Alexander bewundert das Fabuliertalent des Türken
seit zwanzig Jahren, und als Rhetoriklehrer kann er sich in
diesen Dingen ein Urteil erlauben. Er nennt ihn einen red-
nerischen Naturburschen und empfiehlt ihn allen Schülern
zur Nachahmung. Ein Haken an der Sache ist nur, daß Alexander Selims Geschichten einfach nicht begreift.

Zum Beispiel diese Hühnerknochen-Geschichte. Selim
erzählt sie, als Alexander beim Essen wieder einmal allen mit
fachlichen Überlegungen auf die Nerven geht. Melina, Alexanders neue Freundin, reagiert in solchen Fällen ziemlich
ungeduldig: »Auf die Frage, ob der Diskurs von sich aus
schon Vernunft enthalte oder wenigstens eine Tendenz, sie
herzustellen, antwortet sie: ›A geh!‹, und als ich Leibniz' ›Prä-
stabilierte Harmonie‹ erwähne, sagt sie ›Jetzt komm!‹« In die
gereizte Stimmung hinein berichtet Selim überraschend von
Niyazi, einem alten Kollegen, der in Kiel auf einer Werft
arbeitete. Eines Tages erhielt er Besuch von seiner Mutter
aus einem kleinen osttürkischen Dorf. Da sie noch nie in
einer Stadt gewesen war, bat Niyazi sie, die Wohnung nicht
allein zu verlassen. Natürlich ging sie trotzdem einkaufen,

verlief sich prompt, irrte weinend durch Kiel und mußte von der Polizei zu ihrem Sohn zurückgebracht werden. »Die Mutter war aber so schockiert, daß sie nicht mehr in Kiel bleiben wollte und abreiste. Niyazi war sehr traurig, er betrank sich bei uns im Wohnheim und fraß mir im Rausch ein ganzes Hühnchen samt den Knochen weg. Am Morgen sagte er: ›Ich soll dir ein Huhn weggegessen haben? Wo wären dann die Knochen?‹ «[1]

Als Alexander und Melina wieder unter sich sind, gestehen sie sich ein, daß sie keine Ahnung haben, was Selims Geschichte bedeuten soll. Sie rätseln, wie er auf sie gekommen sein könnte. Hatte sie etwas mit Melinas Ungeduld zu tun, oder ging es darin eher um Alexanders Überlegungen? Wollte Selim sie indirekt beantworten oder einfach nur ablenken? War das Hühnchen als Gleichnis zu verstehen? Wenn ja, was bedeuteten dann die Knochen? Und was die Mutter? Vor allem aber: Kann man wirklich ein Hühnchen mitsamt Knochen essen?

Jeder Roman ist ein Held

Sten Nadolnys Leidenschaft gilt den unbegründeten Leidenschaften. Er begeistert sich für die Begeisterten, für die von einer Idee Beseelten und Besessenen – auch, oder gerade, wenn sie für das, was sie antreibt, keine Erklärung haben. Sie macht er zu den Helden seiner Bücher und ihre Obsessionen zu deren Thema. Er stellt ihre kaum psychologisch motivierten Wünsche wie Initialzündungen an den Anfang seiner Romane, präsentiert sie wie die Eröffnungszüge zu einer neuen Partie und scheint auf den Ausgang des Spiels genauso gespannt zu sein wie seine Leser. Gleich im ersten Satz von *Selim oder Die Gabe der Rede* (1990) erfahren wir, daß Alexander den dunklen, nicht weiter erklärten Drang verspürt, ein großer Redner zu werden. John Franklin, der Entdecker der Langsamkeit, will als tumber Bauernbursche unvermittelt »das Meer sehen«[2] und ruht nicht, bevor er zu einem Seemann geworden ist, der zu immer neuen, noch unerforschten Küsten aufbrechen kann. Auch die ausgeprägten Eigenschaften der griechischen Gottheiten in *Ein Gott der Frechheit* (1994) werden nie begründet – und brauchen eine solche Begründung nicht, da diese Gestalten seit Urzeiten nichts anderes sind als die mythischen Repräsentanten eben dieser Eigenschaften. Der *Netzkarten*-Fahrer Ole Reuter schließlich möchte mit dem Zug wochenlang planlos durch Deutschland fahren und ist froh, niemandem Rechenschaft schuldig zu sein: »Schon das Erklärenmüssen behindert eine Reise.«[3]

Aus diesen so unvermittelt zugeteilten Wünschen entwickelt Nadolny dann nach und nach komplexe Charaktere. Er läßt seine Figuren auf die gewöhnlichen Widerstände des Alltags treffen und gibt ihnen so Gelegenheit, sich vor beidem zu bewähren: vor dem Alltag und den Leidenschaften. Weder sollen sie vor den Hindernissen, die sich ihnen in den Weg stellen, resignieren und also ihrer Besessenheit abschwören, noch sollen sie sich für ihre Besessenheit ganz und gar aufgeben – denn dann würde aus der Idee letztlich eine fixe Idee, aus dem Wunsch ein Wahn. Kurz: Sie müssen lernen, ihre Obsession mit praktischer Vernunft zu organisieren. Auch wenn sie am Ende nicht ganz das erreichen, was sie sich vornahmen: Hermes kann die Welt vor den selbstmörderischen Umtrieben des Hephäst retten, nicht aber vor dem angekündigten Zusammenprall mit dem Meteor[4], Alexander bleibt nur ein Theoretiker der Rhetorik, Franklins unter Entbehrungen kartographierte Schiffspassage erweist sich als unschiffbar, und der ins ungebundene Schweifen vernarrte Reuter bindet sich, zumindest vorübergehend, an eine Frau. Doch alle vier wachsen an den Hürden, die sie zu überwinden haben, über sich hinaus. Sie werden nach und nach, auch wenn sie sich nie absichtsvoll darum bemüht haben, zu selbstbewußten, stabilen Persönlichkeiten.

Es liegt nahe, Nadolnys Romane als mehr oder minder detailliert ausgeführte Entwicklungs- oder Bildungsromane zu lesen. Für das Erstlingswerk *Netzkarte* (1981) ist der Begriff sicher noch ein gutes Stück zu groß, doch auch hier steht schon das allmähliche charakterliche Heranreifen des Helden im Mittelpunkt. Obwohl mythische Figuren streng genommen keine psychologische Entwicklung durchmachen können, bildet der sprunghafte Hermes im Konflikt mit Hephäst ebenfalls ein immer größeres Verantwortungsgefühl aus. Franklin und Alexander dagegen werden von ihrem Autor in fast schon klassischer Manier von Krise zu Krise, von Stufe zu Stufe geführt, bis aus den labilen Jugendlichen souveräne Menschen geworden sind.

Sie beginnen als versonnene Knaben mit hochgesteckten, aber nicht hochgesinnten Zielen: Franklin will als abenteuernder Seemann reich werden, um sich für die Demütigungen seiner Kindheit schadlos zu halten, und Alexander sehnt sich nach dem Ruhm eines Rhetors nur um des Ruhmes willen. Zunächst verirren sie sich auf zeitraubende Abwege – Franklin als Soldat in den endlosen englischen Kriegen und Alexander als beleidigt schweigender Taxifahrer in Berlin –, bevor sie sich an ihre ursprünglichen Pläne erinnern. Wenn sie schließlich mit zunehmendem Alter ihre Möglichkeiten erprobt und ihre Ziele zumindest annäherungsweise erreicht haben, verwandelt sich ihre einst so juvenile Hoffnung in ein verblüffend altruistisches Engagement: für eine gerechtere Sozialordnung auf Van Diemen's Land etwa oder für eine weltweit gültige »Welterzählungswirtschaft« samt »Geschichtenwährung« (*Selim* S.419). Die Laufbahn der beiden Helden führt also nicht nach dem konventionellen Schema der Gattung vom heißblütigen Revolutionär oder Schwärmer zum biederen Realisten. Nadolny läßt sie vielmehr von egozentrischen Träumern zu besonnenen, verantwortungsbewußten Visionären heranwachsen.

Dieser Struktur seiner Entwicklungsromane folgt auch Nadolnys Poetik. In der Münchner Vorlesung *Das Erzählen und die guten Absichten* (1990) stellt er eine Analogie zwischen der eigenen Arbeit und seinen Hauptfiguren her. Zwar spricht er die Parallelen nicht direkt an, doch werden sie im Schicksal seiner fiktiven Erzählerin Vera augenfällig: Die Stationen, die ihr Schreibprozeß durchläuft, sind eng verwandt mit den Lebensstationen, die Nadolnys Romanhelden bewältigen müssen.

Als Ausgangspunkt seiner literarischen Arbeit bezeichnet Nadolny, uralten Traditionen folgend, die Inspiration: ein »schwer bestimmbares Gefühl der Wärme und Dankbarkeit« einem Stoff gegenüber, das – wie die jeweilige Obsession seiner Helden – nicht weiter begründet wird und wohl auch nicht begründet werden kann. Zumindest läßt sich der Autor, obwohl er eine Verwandtschaft zum Traum andeutet, weder auf psychoanalytische noch auf andere Erklärungsversuche ein. Im Gegenteil: Wenn er davon erzählt, wie sich die angehende Autorin Vera durch die Stimme eines Buches gleichsam gegen ihren Willen in eine Bibliothek gerufen fühlt, betont er entschlossen die irrationalen Aspekte dieser Eingebungen. Es genügt ihm festzustellen, daß die Inspiration keinerlei Ironie und Distanz zuläßt, sondern nur akzeptiert oder verdrängt werden kann, daß aber jeder Schriftsteller schlecht beraten wäre, der kein »liebe- und respektvolles Verhältnis«[5] zu ihr pflegte.

Allerdings soll ein Autor seinen Eingebungen nicht blind folgen – ebensowenig wie Nadolnys Romanfiguren ihren Leidenschaften. Sie könnten ihn sonst leicht auf falsche Fährten zu undurchführbaren Projekten bringen oder auch anfällig machen für bedenkliche Manipulationen. Vor allem aber muß sich die Inspiration durch die praktische Vernunft des Schriftstellers prüfen und gestalten lassen. Es sind die Widerstände seines ästhetischen Alltagsbewußtseins, vor denen sich seine literarischen Obsessionen zu bewähren haben. Drei recht einfach anmutende, aber folgenreiche handwerkliche Entscheidungen sind zu treffen, bevor eine Geschichte konkretere Formen annehmen kann: »Erstens:

Wer ist der Erzähler? Das muß nicht ich sein, der, dessen Name auf dem Umschlag steht. Dann: Welches sind die Einzelheiten [von denen erzählt werden soll]? Sie müssen herausgepickt und emporgehoben werden aus einem amorphen Brei von allerlei Leben. Und schließlich: In welchem Zusammenhang sollen sie stehen? Das klingt ebenso banal wie theoretisch, aber worauf es hinausläuft, ist bedeutsam: Es sind meistens immerhin die Hauptfigur und der Zeitablauf, wobei der Ablauf weitgehend von der Figur organisiert wird, wenn wir sie erst haben.« (*Erzählen* S.57-58)

Die Inspiration verlangt also nach Organisation: Der Romancier muß sie nach rationalen Kriterien durchformen, um eine angemessene und in sich konzise Architektur der zu erzählenden Geschichte zu entwerfen. Für einen Schriftsteller wie Nadolny, der nicht zufällig einen Rhetor zur Hauptfigur eines Romans gemacht hat, spielt hierbei die Absicht, seine Geschichte einem größeren Publikum zu vermitteln, sicher eine beträchtliche Rolle. Daß die Inspiration durch diesen Prozeß verändert wird, daß der Autor letztlich etwas anderes erzählt, als ihm anfangs vorschwebte, liegt auf der Hand – ist aber in Nadolnys Augen unvermeidlich. Schon beim ersten Versuch des Schriftstellers, seine noch unkonkreten, nur vage empfundenen Eingebungen zu fixieren, wirkt die Sprache wie ein konkretisierender, nach Konturen und Mitteilbarkeit strebender Filter. »Der ursprüngliche Gedanke«, schreibt Nadolny in einem an seine Poetikvorlesungen anschließenden Essay, »sucht das Weite, aus dem er gekommen ist, leicht gekränkt vielleicht, aber wen interessiert das schon. Das Geschriebene, ein Haus im Rohbau, produziert nun selbst ständig neue, dienliche Untergedanken, auf den Ursprung ist niemand mehr angewiesen.«[6]

Hat der Autor seine Geschichte bedachtsam konzipiert, entwickelt sie eine innere Logik und Zwangsläufigkeit. Sie tritt ihm, zumal wenn er begonnen hat, sie niederzuschreiben, nach und nach mit einer eigenen Dynamik, einer eigenen Ordnung entgegen. Ja, sie erreicht – wie die Helden in

Nadolnys Entwicklungsromanen – eine nahezu souveräne Position, und das auch ihrem Erfinder gegenüber: Er kann nicht mehr nach Belieben mit ihr verfahren, sondern muß sich ihren – von ihm selbst geschaffenen – Gesetzen fügen: »Es gibt kein Erzählen ohne Respekt und Verantwortung – aber nicht gegenüber irgend etwas da draußen, Gott und der Welt, sondern der Geschichte selbst gegenüber – in ihr wohnt alles, was es zu respektieren oder zu erfüllen gibt.« (*Erzählen* S.95)

Ihre wachsende Unabhängigkeit wird unterstützt durch zwei Instanzen, die ebenfalls dazu tendieren, sich dem Willen des Autors zu entziehen. Zum einen erweist sich die Sprache als eine »hinreißend eigensinnige Dienerin« (*Erzählen* S.86), die jeden schriftstellerischen Einfall einer subtilen, aber unerbittlichen Kontrolle unterzieht. Sie ist so eng mit dem ästhetischen Verstand assoziiert, daß unstimmige oder unglaubwürdige Szenen bei der Niederschrift einen falschen Klang annehmen, der sich, genügend Sensibilität vorausgesetzt, im Ohr des Verfassers warnend bemerkbar macht: »Denn die Arbeit an einem Romanstoff ist keineswegs nur das Schreiben und Korrigieren von Sprache, sondern eine Kette aufwendiger Erzählversuche, nach denen nicht der Autor die Sprache, sondern vor allem die Sprache den Autor korrigiert.« (*Erzählen* S.90)

Zum anderen entwirft der Schriftsteller für sich, gleichsam als unausgesprochene Arbeitshypothese, das Bild eines Lesers, an den sich seine Geschichte richtet. Es handelt sich dabei nicht um eine reale Person oder eine näher definierte Zielgruppe, sondern um eine phantasierte ideale Gestalt. Sie gewinnt einen erheblichen Einfluß auf den entstehenden Text. Nadolny deutet an, daß sie für den Autor eine ähnliche Bedeutung annimmt wie die Erzählfigur seiner Geschichte (vgl. *Erzählen* S.52 und S.93), daß sie als ein Gegenstück und Dialogpartner zu ihm zu verstehen ist. Da sie nie konkrete Konturen annimmt, eröffnet sie der Imagination des Autors eine beträchtliche Bewegungsfreiheit. Zugleich erinnert sie ihn aber stets an die tatsächlichen Leser und setzt seiner Imagination auch eindeutig Grenzen.

»So mögen Romane entstehen, ein bißchen wie die Helden selbst. Sie entwickeln Selbstbewußtsein und Schwung, sogar Macht, opfern einige Sicherheiten, um die anderen zu erhalten, zwingen und lügen sogar, um ihre Reise fortsetzen zu können. Jeder Roman ist selbst ein Held, und am Schluß will er sich in Positur stellen, schön lächeln und die Mädchen weinen sehen.«[7]

Souveränität statt guter Absichten

Sten Nadolny erzählt von der Souveränität. Zwar gehört den Opfern der Zeitläufte und des Schicksals seine Sympathie; in keinem seiner Bücher nimmt er ihnen gegenüber eine herablassende Haltung ein oder schlägt den überlegenen Ton wohlmeinender Pädagogen an. Viel eher begegnet er ihnen mit jener eigentümlichen Mischung aus Fürsorglichkeit und Achtung, mit der sich John Franklin seinem nach Jahrzehnten wiedergefundenen Jugendfreund Sherard auf Van Dieman's Land zuwendet. Nadolnys größeres Interesse aber gilt jenen anderen Figuren, die ihr Leben in die eigenen Hände nehmen, die es nach ihren Vorstellungen zu formen versuchen – auf das Risiko hin, Fehler zu machen, zu scheitern und vielleicht sogar andere in ihren Untergang hineinzuziehen. Es geht ihm um die, die sich selber helfen und nicht warten, bis ihnen geholfen wird, um die, die ihren eigenen Weg gehen wollen, ohne Rücksicht auf die Anweisungen anderer, und die auf diesem Weg zumindest eins mit Sicherheit kennenlernen: sich selbst. Nadolny wird so in besonderem Maß zum Autor einer demokratischen Gesellschaft, der freie Individuen in den Mittelpunkt stellt und sie seinen Lesern als Dialogpartner anbietet.

Natürlich weiß er, daß er damit innerhalb der deutschsprachigen Literatur der Nachkriegsepoche einen nicht gerade gewöhnlichen Weg einschlägt. Konjunktur hatte in jenen Jahren eher der ohnmächtige Romanheld, der sich dem Weltgeschehen ausgeliefert fühlt, der sich als Leidtragender der politischen Vergangenheit oder familiären Verhältnisse empfindet, gegen die er allenfalls verbalen Widerstand leistet. Aber das irritiert Nadolny nicht, im Gegenteil: Auch vor unpopulären, provozierenden Thesen schreckt er nicht zurück, wenn sie ihm geeignet erscheinen, seine Leidenschaft zu verdeutlichen. So lobt er beispielsweise – was aus dem Mund eines deutschen Schriftstellers der Gegenwart nicht gerade alltäglich ist – die Tatkraft und den Mut der freien Unternehmer oder kritisiert die unter Autoren grassierende Neigung, sich selbst zu Opfern des Kulturbetriebs zu stilisieren (vgl. *Erzählen* S.56 und S.111-114). Der Einzelne ist bei Nadolny in der Tradition des philosophischen Pragmatismus immer mitverantwortlich für das Leben, das er führt, und je mehr er sich zu dieser Verantwortung bekennt, je mehr er sein Leben nach selbstgewonnenen Überzeugungen ausrichtet, desto größer ist die Aufmerksamkeit und Zuneigung, mit der ihm sein Autor begegnet.

Eine besondere Rolle spielt in seiner Poetik auch die Souveränität der Geschichten. Damit ist nicht eine unbedingte, grenzenlose Autonomie der Literatur gemeint, denn in Nadolnys Augen ist das Erzählen in hohem Maß abhängig von den Realitäten, über die erzählt werden soll, von der in der Sprache aufgehobenen Vernunft einer Gesellschaft und von dem imaginierten Bild des künftigen Lesers. Doch er räumt der Literatur nachdrücklich eigene Rechte ein gegenüber ihrem Ursprung, der Inspiration, und sogar gegenüber ihrem Autor: Ist die Handlung des Romans erst einmal über erste Anfänge hinausgewachsen, erzwingt ihre innere Logik vom Autor Änderungen an seinem Konzept, die er nie beabsichtigt hatte. Eine Kraft, die sich vor allem während der Krisen eines Schriftstellers bewähren kann, in Momenten, in denen ihm seine erzählerischen Konzepte fragwürdig erscheinen: Dann übernimmt der Roman,

»wenn nicht Verzweiflungstaten seines Autors die Rettung verhindern, selbst die Leitung des Unternehmens [...]. Die geschicktesten Anpassungen an die gefährliche Realität besorgt er nun selbst, der Autor merkt es zunächst gar nicht. Es ist wie bei den Neurosen, denen man auch nachsagt, daß sie bei ihrer Selbsterhaltung weitaus schöpferischer und intelligenter sind als die von ihnen geplagten Patienten.«[8]

Souverän hat sich der Autor darüber hinaus, so will es Nadolny, auch gegenüber den »guten Absichten« seiner Gegenwart zu verhalten (*Erzählen* S.43-46 und S.116-121). Gemeint sind damit nicht die moralischen Grundlagen einer liberalen, demokratisch verfaßten Gesellschaft; Nadolny zielt angesichts unserer aktuellen politischen Situation nicht auf Fundamentalopposition. Es geht ihm vielmehr um die diffusen, ungeschriebenen, aber höchst wirkungsmächtigen Denkverbote und -gebote: Sie bilden ein wechselhaftes, schwer zu definierendes Ensemble von Verhaltensregeln, Gesinnungszwängen und unbefragt übernommenen Scheinwahrheiten, die mehr oder minder intensiv alle Bereiche des Zusammenlebens durchdringen. Schriftsteller, die sich diesem Zeitgeist, bewußt oder unbewußt, unterwerfen, bleiben in ihrer Arbeit für den Leser berechenbar. Sie reproduzieren die Meinungen der Wohlmeinenden und entwickeln keine eigenen Perspektiven. Ihnen fehlt, was den allgegenwärtigen Bestand von Urteilen ins Wanken bringen könnte: die Gabe, genau zu beobachten und das Wahrgenommene intellektuell neu zu verarbeiten.

Doch Souveränität ist für Nadolny nicht nur Voraussetzung, Thema und Ergebnis seiner literarischen Arbeit, sie ist – mit dem Blick auf den Leser – auch deren wünschenswerte Wirkung. Sowohl die Freiheit des Autors gegenüber allen »guten Absichten« als auch die Eigenständigkeit seiner Ideen und Wahrnehmungen geben dem Leser ein Beispiel, an dem er sich messen kann. Die intellektuelle Unabhängigkeit, an der er während der Lektüre teilhat, appelliert insgeheim an ihn, sich ebenfalls frei zu machen »von anderen, deren nor-

76

mative Vorstellungen ihn bisher in irgendeiner Position oder Richtung gehalten haben. Das ist die große, die wirkliche Botschaft des Erzählens auch für mich, ziemlich unabhängig davon, was da gerade inhaltlich erzählt wird« (*Erzählen* S.56). Der Eigensinn eines Werkes, genauer: seine Entschlossenheit, einen eigenen Sinn zu entfalten, soll den Leser nicht dazu verführen, die Ansichten des Autors blindlings zu übernehmen, sondern eher dazu ermuntern, ebenfalls eigene Ansichten zu formulieren und sie zu erproben.

Damit nicht genug, kann die Souveränität des Lesers in Nadolnys Augen noch auf einem anderen Weg herausgefordert werden. Jeder Schriftsteller stellt, das bezeichnet Nadolny als eine der drei handwerklichen Grundbedingungen der Epik, in seinen Romanen Zusammenhänge zwischen zuvor von ihm ausgewählten Einzelheiten her. Er verknüpft isolierte Fakten erzählend zu einer Geschichte und läßt so ein Sinngefüge entstehen, das zwar nur literarische Gültigkeit beanspruchen kann, mehr oder minder unausgesprochen aber auch zur Interpretation von Wirklichkeit, vielleicht sogar zur umfassenden Lebensdeutung einlädt. Je kräftiger sich diese Tendenz in den Vordergrund drängt, je konsequenter ein Buch für eine bestimmte Weltanschauung wirbt, desto geringer wird die intellektuelle Bewegungsfreiheit, die Autonomie des Lesers bei der Lektüre – er steht im Zweifelsfall nur noch vor der dürftigen Wahl, die jeweilige vom Autor propagierte Ideologie zu akzeptieren oder abzulehnen.

Als konkrete Beispiele für diese recht allgemein klingenden Überlegungen lassen sich, auch wenn Nadolny sie nicht nennt, einige Arbeiten von Autoren wie Christa Wolf und Günter Grass anführen. Diese Schriftsteller publizierten in den achtziger Jahren nicht nur umfassende literarische Weltdeutungen, sondern leiteten aus ihnen noch dazu die Gründe für einen drohenden, vielleicht unvermeidlichen Weltuntergang ab.[9] Solche Bücher, betont Nadolny, fordern insgeheim Gefolgschaft, zumal, wenn sie dem Leser Schuldgefühle für die bevorstehende Apokalypse zu suggerieren versuchen. Diese Autoren entwerfen eine »Heilsgeschichte«, also »eine Geschichte von auswegloser Situation durch Sünde und Schuld – alles ist verloren, wir selbst haben es so weit kommen lassen, die Katastrophe steht bevor, wenn wir nicht – und dann kommt *die* Lösung, *die* Wahrheit, und dem Leser wird vom Erzähler nahegelegt, sein Leben zu ändern und dieser Wahrheit zu dienen – sei es einer kollektivistischen, einer christlichen des Heils, einer islamischen, einer marxistischen, oder auch etwas völlig Neuem. [...] Es könnte eine zunehmende Neigung geben, Sendungsbewußtsein zur Schau zu stellen, sehr monologisch aufzutreten, ›im Namen der Toten‹ für eine ferne Zukunft zu sprechen. Die Wahrheit ist gefunden, die Geschichte dieser Wahrheit wird erzählt, und es ist logischerweise eine Geschichte gegen jedes andere Erzählen. Das gibt es: Geschichten gegen das Erzählen. Eine Heilsgeschichte stoppt die Möglichkeit des Andersdenkens« (*Erzählen* S.123-124).

Als den Gegenpol zu den literarischen »Gurus« bezeichnet Nadolny jene Schriftsteller, die ihre Leser bei der Lektüre nicht auf eine bestimmte Betrachtungsweise ihrer Geschichte festlegen wollen, sondern ihre Bücher eher als eine Aufforderung zur Teilnahme an einer erzählerischen Abenteuertour verstehen, deren Ausgang ungewiß ist. »Ihre Literatur ist spielerisch, manchmal fast denksportartig, mit vexierbildhafter Einladung zu mehreren Interpretationen wie in Bildern von M. C. Escher. Man hat neuerdings versucht, diese Richtung als postmodern, als Fortentwicklung des Aufklärerischen oder ähnlich zu programmatisieren, nicht sehr präzise, fürchte ich [...]. Weitere Eigenschaften dieses mir lieberen Typs: gauklerischer, scheinbar mehr Entertainer, unprätentiös (auch sie füllen Säle, aber weil es bei ihnen Spaß macht, nicht weil sie die Wahrheit zu bieten haben). Sie beobachten psychologisch scharf, beschäftigen sich mit der nahen Zukunft, nicht mit der fernen, versuchen auf keinen Fall Schuldgefühle und Druck zu produzieren oder anderen das Gefühl zu geben, daß sie mit Sünde beladen sind und nur erlöst werden, wenn sie dies oder das tun. Sie sind konstruktivistischer und, wenn man sie mit einem einzigen Wort abheben will von den vorher Genannten: sie sind nicht sendungsbewußt, sondern selbstbewußt« (*Erzählen* S.124-125). Diese Autoren begreifen den Leser bis zu einem gewissen Grad als souveränen Koproduzenten: Sie versuchen, ihm in ihren Büchern einen möglichst großen geistigen Spielraum zu öffnen, bieten ihm immer wieder Chancen, zwischen verschiedenen Deutungen zu wählen oder auch ironische Distanz zum Erzählten zu wahren. Es geht ihnen nicht darum, im Rahmen der Literatur für ein bestimmtes Weltverständnis zu werben, sondern einen literarischen Rahmen zu schaffen, in dem verschiedene Weltbilder ungehindert und spielerisch miteinander konkurrieren können.

John Franklin zum Beispiel, Nadolnys Held der Langsamkeit, verteidigt seine ganz persönliche Zeitordnung gegen eine schneller und schneller werdende Umwelt. An der Sympathie des Autors für seine Hauptfigur kann kein Zweifel sein, und natürlich wird der Leser zur Identifikation mit ihr und ihrem kontemplativen Lebensrhythmus eingeladen. Dennoch sind Franklins Ideen in dem Roman auch grundlegender Kritik ausgesetzt und werden mehr als einmal ernsthaft in Frage gestellt. So widerlegt der Wissenschaftler Roget jenes Experiment, das Franklins Langsamkeit fälschlich auf eine objektive physiologische Veranlagung zurückführte, und läßt sie damit als eine leicht neurotische Angewohnheit des Helden erscheinen: »Daß er nicht von Natur langsam sein sollte, behagte John überhaupt nicht: er brauchte diese Eigenschaft jetzt mehr denn je« (*Langsamkeit* S.276). Als Gouverneur von Van Diemen's Land scheitert Franklin dann an seiner Unfähigkeit, frühzeitig die richtigen Entscheidungen zu treffen, und versagt im Machtkampf gegen seine schnelleren Sekretäre. Und als während der letzten Forschungsreise seine zwei Schiffe vom Eis umschlossen und für Jahre blockiert werden, bringt – worauf schon hingewiesen wurde – die grenzenlose Geduld der Offiziere die ganze Mannschaft in Lebensgefahr: Franklin muß kurz vor seinem Tod für Aktivität und entschiedenes, rasches Handeln plädieren – eine ebenso ironische wie melancholische Schlußpointe des Romans.

Der Leser wird also, obwohl sich das Buch fraglos gegen die »fatale Beschleunigung des Zeitalters« (*Langsamkeit* S.208) richtet, keineswegs zur bedingungslosen Parteinahme für die Bedächtigkeit des Helden gedrängt. Auch entgeht Nadolny der Versuchung, den Gegensatz zwischen langsamen und schnellen Figuren in seinem Roman kurzerhand zu einem literarischen Projektionsraum für historische oder zeitgenössische Konflikte philosophischer beziehungsweise politischer Natur zu machen. Weder ist Franklin ein typischer Romantiker, der sich gegen ein vulgäres Verständnis von Aufklärung in seiner Epoche wehrt, noch kann man ihn als einen Vorläufer unserer zeitgenössischen Zivilisationsmüdigkeit betrachten. Der Autor läßt ihn demonstrativ Abstand wahren sowohl von dem romantischen Maler Westall, der nicht mehr Tatsachen abbilden will, sondern nur noch Empfindungen, die diese Tatsachen in ihm evozieren, als auch von dem kuriosen Aufklärer Dr.Orme, der glaubt, aus simplen Erkenntnissen über die unterschiedlichen Reaktionsgeschwindigkeiten der Menschen umgehend Maßnahmen zu einer fundamentalen Sozialreform ableiten zu können. Ebenso wird Franklin zwar als ein Kritiker der modernen zivilisatorischen Hektik beschrieben, nicht aber als ein Gegner der modernen Zivilisation überhaupt, die er auf seinen geruhsamen Forschungsreisen bereitwillig auszubreiten hilft.[10] Kurz: Nadolny schildert ihn nicht als sturen Parteigänger einer bestimmten Weltsicht, wie etwa die Frühsozialistin Flora Reed, sondern als einen widersprüchlichen, eigenwilligen Menschen, der den Leser zu eigenen widersprüchlichen Urteilen herausfordert.

Ähnliches gilt für Alexander und Selim, die den Leser auf ihrer Reise durch ein Vierteljahrhundert bundesdeutscher Geschichte merkwürdigen Wechselbädern aussetzen. So wandelt sich Alexander von einem leistungsbewußten Bundeswehrsoldaten zu einem gutwilligen, wenn auch naiven Anhänger der Studentenbewegung, der nach politischen und privaten Enttäuschungen eine Phase pathetischer Weltverachtung durchmacht, um sich dann zu einem empfindsamen Unternehmer zu entwickeln. Selim wiederum beginnt mit Plänen, die größer kaum sein könnten, will Reeder vom Schlage eines Onassis werden, kann sich aber kaum zu zielstrebiger Arbeit zwingen und muß zahllose Fehlschläge hinnehmen, bevor es ihm endlich gelingt, sich eine Existenz als Kneipier aufzubauen. Beide Lebenswege lassen sich in kein Schema pressen, sind von keinem vorgegebenen Weltbild geprägt, sondern von vielen, mitunter scheinbar zufälligen Faktoren beeinflußt und wirken gerade deshalb glaubwürdig. Ganz folgerichtig ist den zwei Figuren ein Charakterzug gemeinsam: ihre Skepsis den Ideologen aller Spielarten gegenüber, ob es nun die Vordenker und -redner der Studentenbewegung sind, der rhetorische Lebenshelfer Pressel oder der vom Rauschgifthändler zum religiösen Fundamentalisten konvertierte Mesut.

Am nachdrücklichsten aber hindert Nadolny den Leser durch die spielerisch verschachtelte Konstruktion seines Romans an der distanzlosen Identifikation mit den Helden. Die in das Buch eingestreuten Tagebucheintragungen des Erzählers stellen nach und nach die von ihm selbst erzählte Geschichte in Frage. Zunächst sind es nur Details, mit denen er der von ihm geschaffenen Fiktion widerspricht: So erfährt er von Selim nachträglich, daß dessen Großvater aus einer ganz anderen türkischen Stadt stammt, als anfangs berichtet, oder er deutet an, daß er den Dealer Mesut aus juristischen Gründen anders darstellen muß, als es den – fiktiven – Tatsachen entspricht. (*Selim* S.252 und 288).

Sobald der Erzähler dann auf der Suche nach Selim in die

Türkei reist, gibt er in seinen eingeschobenen Tagebucheintragungen ein völlig anderes Schicksal des Verschollenen wieder, als er es in seinen Romanfortsetzungen ausmalt – und macht diese Differenzen zugleich zum Ausgangspunkt für Reflexionen über die Aufgaben des Romanciers. Nadolny ermöglicht so bei der Lektüre die Wahl zwischen zwei verschiedenen, jedoch kunstvoll verzahnten – und gleichermaßen fiktiven – Geschichten, die er dann überraschend zu fast demselben tragischen Ende kommen läßt. Der Leser wird auf diese Weise eingeladen zu einem Intelligenz und Souveränität herausforderndem Spiel mit den unterschiedlichen Fiktionsebenen des Buches, die jedoch nie ganz auseinanderbrechen, sondern in einer nachvollziehbaren Geschichte aufgehoben bleiben.

Vitale Selbstverständlichkeiten

Nadolny hat seine Poetik in seiner Münchner Vorlesung selbst in die Nähe der literarischen Postmoderne gerückt, »wie sie etwa Hanns-Josef Ortheil« versteht[11] – allerdings nicht verschwiegen, daß er Vorbehalte gegen solche Begriffe hat, »weil es den vitalen Selbstverständlichkeiten des Erzählens nicht guttut, einen prätentiösen Namen anzunehmen.« (*Erzählen* S.124)

Tatsächlich läßt sich einiges in seiner Poetik schlecht mit den ästhetischen Voraussetzungen der Moderne in Einklang bringen: Sein nur zu Anfang verehrungsvoller, aber bald schon unbefangener Umgang mit der Inspiration betont die bewußte Konstruktion des Romans gegenüber dem Versuch, in ihm Unbewußtes oder Verdrängtes zum Ausdruck zu bringen; die Bereitschaft, sowohl bei seinen poetologischen Überlegungen als auch in seiner schriftstellerischen Praxis (vor allem in *Die Entdeckung der Langsamkeit* und *Ein Gott der Frechheit*) auf traditionelle Erzählweisen zurückzugreifen, weist ihn nicht gerade als einen Anhänger des ästhetischen Originalitäts- und Innovationszwangs aus; und der beträchtliche Einfluß, den er den realen Lebensverhältnissen, der in der Sprache aufgehobenen praktischen Vernunft einer Gesellschaft und seiner Vorstellung vom idealen Leser auf seine Bücher einräumt, schränkt seine literarische Autonomie erheblich ein.

Andererseits entsprechen viele seiner Techniken und Motive jenen Ideen, die von Vordenkern der literarischen Postmoderne formuliert wurden. Wie Italo Calvino legt er großen Wert darauf, daß seine Bücher eine Vielfalt von Aussagen anbieten, die miteinander konkurrieren können und also eine Vielfalt von konkurrierenden Lesarten rechtfertigen.[12] Er hebt somit, wie Calvino, den spielerischen Charakter seiner Bücher hervor, die den Leser einladen, die Rolle eines Mitspielers, eines Koproduzenten zu übernehmen, der sich zwar nach den Vorgaben des Autors richten muß, aber zu einem individuellen Ergebnis gelangen soll.

Wie Umberto Eco, der andere italienische Theoretiker und Erzähler der Postmoderne[13], nutzt Nadolny bei seiner Arbeit gern traditionelle literarische Muster wie den Entwicklungsroman. Er übernimmt sie aber nicht unverändert, sondern mit einem ironischen Augenzwinkern, einer intellektuellen Distanz, die um die lange Vorgeschichte dieser Formen und ihre Stärken und Schwächen weiß. Sie werden bewußt zitiert, und dieser Zitatcharakter wird auch nicht verleugnet. Ein Teil des poetischen Reizes seiner Arbeit geht also nicht allein vom Text selbst aus, sondern von der genau kalkulierten Differenz zwischen dem Buch und seinen jeweiligen Vorbildern, die bei der Lektüre vom Leser wahrgenommen und mitbedacht werden soll. So entfaltet sich beispielsweise das Vergnügen am *Gott der Frechheit* erst ganz, wenn man wahrnimmt, daß der Roman jenes »drohend-ernste apokalyptische Schema« der von Nadolny kritisierten literarischen Gurus übernimmt, um es, wie er schon in seiner Poetikvorlesung verborgen ankündigt, zu »benutzen« und zu »persiflieren« (*Erzählen* S.125).

Wie Leslie A. Fiedler hat Nadolny keine Scheu vor Stoffen oder Topoi, die heute allgemein der Trivialliteratur zugerechnet werden. Den Roman *Netzkarte* kann man als ein schienengebundenes Road-Movie in Buchform betrachten, *Die Entdeckung der Langsamkeit* bedient sich ohne Ängstlichkeit beim Genre der Abenteuer- und Seefahrergeschichten, und die in *Selim* geschilderte Schießerei in einem Hamburger Bordell offenbart ebenso wie die Pokerpartie in *Ein Gott der Frechheit* ihren ganzen Reiz erst vor dem Hintergrund einschlägiger Standardszenen aus zahllosen Krimis. Nadolnys Poetik zielt damit, ganz im Sinne Fiedlers, darauf, den Graben zwischen der publikumsfernen, exkludierenden Hoch- und der populären Trivialkultur zuzuschütten: Er übernimmt die Erzählmuster routinierter Unterhaltungsautoren, um etwas Besseres daraus zu machen; genauer: Er greift auf abgenutzte Motive zurück und integriert sie so kunstvoll in seine Geschichten, daß sie auf ästhetisch originelle Weise ernst zu nehmende Inhalte transportieren.

Wie Don DeLillo, einem amerikanischen Romancier der Postmoderne, geht es Nadolny auch um die psychologischen Wurzeln des Erzählens: Indem der Autor schreibend einen Zusammenhang zwischen den atomisierten Tatsachen des Lebens herstellt, gibt er dem Leser eine – literarische – Ordnung vor und vermindert so die Angst (vgl. *Erzählen* S.78) vor einer letztlich unbegreifbaren, sinnleeren Umwelt.[14] In einem durch und durch skeptischen, nach-ideologischen Zeitalter kann es Nadolny – wie DeLillo – jedoch nicht darum gehen, dem Publikum gegenüber nach altem Muster eine bestimmte Welterklärung oder Ideologie zu propagieren. Daher fordert er mit einem Roman bewußt zu untereinander widerstreitenden Deutungen heraus, zwischen denen der Leser sich entscheiden muß, oder stellt die Geschichte, die er entwickelt, wiederholt selbst in Frage. »Der Roman ist eine Behauptung«, notiert sich Alexander, »die zu Ende geführt wird, obwohl sie sich bereits aufzulösen beginnt« (*Selim* S.282). Es liegt auf der Hand, daß die angst-mindernde Wirkung des traditionellen Erzählens durch solche Kunstgriffe nicht eben gesteigert wird. Die Autoren drängen den Leser vielmehr zu einem souveränen Einverständnis mit seiner Situation, aber eben auch dazu, seine eigene Geschichte, seine eigene Ordnung der chaotischen Tatsachen zu erfinden – und heben so jene angstminderne Wirkung des Romans auf ein anderes Niveau.

Natürlich sind diese literarischen Techniken oder Themen nicht neu. Sie finden sich auch in Büchern, die sich schlecht mit dem Etikett einer auf die verknöcherte Moderne reagierenden Postmoderne versehen lassen. Doch der Postmoderne widerstrebt, wie gesagt, programmatisch jede fixierte Ordnung und damit auch jede strenge chronologische Zuordnung. Eco entdeckte – neben seinem einschlägigen Hinweis auf den Manierismus – auch schon in Max Ernsts Collagen postmoderne Züge: »Man konnte und kann sie auch wie phantastische Traum- oder Abenteuergeschichten lesen, ohne zu merken, daß sie einen Diskurs über alte Stiche darstellen und vielleicht auch einen über das Collagieren selbst. Wenn dies aber postmodern ist, dann liegt auf der Hand, warum Sterne oder Rabelais postmoderne Autoren waren, warum Borges gewiß einer ist, und warum in ein und demselben Künstler moderne und postmoderne Elemente koexistieren, einander kurzfristig ablösen oder auch alternieren können.«[15]

Postmoderne muß also keineswegs, um dies noch einmal ausdrücklich zu wiederholen, als eine von der Moderne strikt getrennte oder ihr gar entgegengesetzte Stilepoche verstanden werden. Vielmehr geht es der Postmoderne um die Verwirklichung einiger in der Moderne angelegter Tendenzen und zugleich um eine gründliche Selbstkritik der Moderne – in diese Richtung zielen auch die Überlegungen Nadolnys, wenn er die Literatur der Postmoderne in seiner Poetikvorlesung gegen den Vorwurf in Schutz nimmt, »antiaufklärerisch« zu sein, und sie statt dessen eher als

»Fortentwicklung des Aufklärerischen« (*Erzählen* S.124)
verstehen will.

Vernunft des Erzählens

Nachdem Selims Geschichten Alexander fast zwanzig Jahre
lang begleitet haben, sind sie mehr für ihn als nur vertraut
und auch mehr als nur Forschungsmaterial auf seinem win-
dungsreichen Weg zum Rhetoriklehrer. Sie bieten ihm eine
letzte Zuflucht, als er erkennen muß, daß sein an klassischen
Vorbildern geschultes Ideal der politischen Rede immer
unzeitgemäßer und fragwürdiger wird: Der Roman, den er
nun zu schreiben beginnt, erhält für ihn die Bedeutung, die
früher seine Schule hatte; an die Stelle des Redens und der
Rhetorik treten für ihn das Erzählen und die Poetik.

Alexander kann nicht länger die Augen davor verschließen, daß der gesellschaftliche Diskurs keineswegs von
sich aus Vernunft enthält oder hervorbringt und daß also
seine Vorstellung von einer prästabilierten Harmonie der
Rede nur ein schöner Trug ist. Oft genug, so sieht er allmählich ein, hat gerade der Wunsch, durch Worte zu überzeugen, ganz und gar unvernünftige Folgen. Sein Mißtrauen
gegen die Rede bricht zum ersten Mal während der Studentenbewegung auf, die in seinen Augen nicht zuletzt daran
scheitert, daß ihre abstrakte Rhetorik für wichtige, nicht-
intellektuelle Bedürfnisse der Beteiligten keinen Raum läßt.
Geleitet von diesen Erfahrungen, bemüht er sich, den Absol-
venten seiner Kurse eine persönlichere, vielschichtigere
Gesprächskultur zu vermitteln – und muß sich ein Jahrzehnt
später eingestehen, daß er mit seiner Schule lediglich zum
modernen Meinungs-Discount beigetragen hat: Wenn pau-
senlos persönliche Ansichten zu beliebigen Themen publiziert werden, nutzt sich das Interesse am öffentlichen
Gespräch so lange ab, bis die Ansichten zuletzt willkürlich
und nur noch zur effektvollen Imagepflege eingesetzt wer-

den. Die Kunst der Rede degeneriert zur Talkshow, statt, worauf Alexander hoffte, Widerstand zu erzeugen: »Der wird überwuchert, entwertet, entkräftet von einem Widerstands-Geschwätz, dessen Basis keine Entscheidungen mehr sind, sondern gespielte oder ausgeliehene Erregungszustände. [...] Es fehlen die Voraussetzungen für die öffentliche Wirkung öffentlicher Rede: Respekt und Toleranz; die Gabe, Freude zu empfinden; Aufmerksamkeit für das Leiden, Beobachtungsgabe überhaupt; ein paar Begriffe, die noch Vorstellungen auslösen.« (*Selim* S.361)

Das permanente publizistische Palaver umgibt das Bewußtsein der Menschen schließlich wie ein Panzer. Bei dem Versuch, ihn zumindest für einen Augenblick aufzusprengen, verliert die zornige Türkin Ayşe ihr Leben, und noch ihr Tod liefert den Stoff für eine weitere Runde des Palaverns. Im *Gott der Frechheit* scheitert selbst Hermes, der »Kommunikationsgott schlechthin« (*Erzählen* S.78), an der sedierenden Tendenz der allgegenwärtigen Meinungsvermarktung. Als Radio- und Fernsehmoderator zielt er mit seinen amoralischen, kynischen Thesen auf eine Provokation der allgemeinen Indifferenz und intellektuellen Trägheit. Doch die Dickfelligkeit des öffentlichen Lebens ist bereits soweit fortgeschritten, daß selbst seine bizarrsten Behauptungen »aufs Netteste akzeptiert und mit Schleifchen des Verständnisses verziert« wurden: »Er fühlte sich gefangen und erstickt von einem Wohlwollen, das vor nichts mehr haltmachte, vermißte aber den Respekt.« (*Gott* S.187-188)

Auch im privaten Gespräch erzeugt die rationale Rede keineswegs nur rationale Folgen. Der verhängnisvolle Streit zwischen Selim und Alexander, der die beiden Freunde für immer trennt, wird ausgelöst durch eine der wenigen ernsten Diskussionen, die sie je geführt haben, ohne wie sonst von ihrem Thema gleich wieder ins Alltägliche oder Anekdotische abzuschweifen. Sie haben, begreift Alexander im nachhinein, konsequent zur Sache geredet – also nicht zu dem Menschen, der gegenübersaß. Ihre Kontroverse war, anders als es Selim beim Erzählen voraussetzt, nicht von gegenseitiger Achtung zwischen Sprecher und Zuhörer geprägt, sondern nur von der Absicht, den anderen zur eigenen Meinung zu bekehren.

Natürlich ist sich Alexander klar über die weitreichenden Konsequenzen solcher Erfahrungen: Er hat die Rede von Anfang an als das wesentliche Hilfsmittel des politischen Handelns, der humanen Kommunikation, kurz: des Denkens überhaupt betrachtet. Wenn ihm nun der Glauben an die Rede verloren geht, dann verbindet sich für ihn damit auch die Einsicht, ohne exakte Orientierung in einer Welt zu leben, die letztlich unbegreifbar bleibt. Er kann sie nie durchschauen, sondern sich nur erzählend ein Bild von ihr machen, sie nicht aufklären, sondern sie nur mit den Mitteln des Mythos gestalten: »Wer der Wahrheit sklavisch dient, liebt sie nicht. Selim weiß, daß sie ungern persönlich in Erscheinung tritt, sondern es vorzieht, sich von Abertausenden von Geschichten annäherungsweise nachbilden zu lassen. Sie selbst steht amüsiert daneben und sieht zu. Ihre Liebhaber wissen das« (*Selim* S.418). Wenn Alexander zu großen Worten neigte, würde er solche Überlegungen wohl als die postmodern gewendete Selbstkritik einer Aufklärung bezeichnen, die sich ihrer Dialektik bewußt geworden ist.

Wieviel Humanität in einer solchen Poetik steckt, das demonstriert Selim seinem Freund mit jener merkwürdigen Hühnerknochen-Geschichte. Er versucht mit ihr nicht, die von Alexander aufgeworfenen Fragen zu beantworten, er geht nicht einmal auf die Debatte zwischen ihm und Melina ein, aber er lockt die beiden erzählend aus ihrer Konfrontation. Er führt damit praktisch vor, wie man einem Streit, der aus dem vernunftbetonten begrifflichen Diskurs entstanden ist, durch Erzählen seine unvernünftige Spitze abbricht. Es spielt für Selim dabei keine Rolle, ob seine Geschichte den Zuhörern sofort einleuchtet oder nicht, ob sie wahr ist oder falsch, ob man ein Hühnchen samt Knochen essen kann oder daran ersticken würde. Es kommt ihm auf die Fähigkeit des Erzählens an, auch in bedrohlicher Lage die Beteiligten an ein respektvolles Miteinander zu erinnern. Er macht es wie Niyazi, der, als er wegen seines Hühnerdiebstahls zur Rede gestellt wird, eine sehr kurze, keiner Vernunft gehorchende Geschichte erzählt. Mit ihr kann er zwar niemanden von seiner Unschuld überzeugen, wohl aber der Situation eine Wendung zum Witz und vielleicht zur Versöhnung geben: »Ich soll dir ein Huhn weggegessen haben? Wo wären dann die Knochen?«

Der Autor, nichts als der Autor
*Christa Wolf und Peter Handke - Vordenker
der Neuen Subjektivität*

> »Wer eine Geschichte ›wahr‹ nennt,
> beleidigt Kunst und Wahrheit
> zugleich.«
> Vladimir Nabokov
> *Die Kunst des Lesens*

Es wäre einfach, die deutsche Literatur der siebziger und
frühen achtziger Jahre anhand einiger mediokrer Beispiele
aus diesem Zeitraum zu kritisieren. Man fände mehr als
genug davon. Es wäre einfach, aber es wäre auch vereinfa-
chend und dazu noch ungerecht. In jeder Epoche entsteht
Mittelmäßiges, und keine hat es verdient, ausschließlich an
solchen Resultaten gemessen zu werden. Sinnvoller und
erhellender erscheint es mir, an herausragenden Werken
jener Jahre ein paar der Mißverständnisse und Schwächen
vorzuführen, die kennzeichnend für die Ära insgesamt wurden. Diese exemplarische – und gewiß undankbare – Rolle
sollen hier ausgewählte Prosatexte von Christa Wolf und
Peter Handke spielen.

Auch wenn die beiden Autoren gelegentlich für die Postmoderne vereinnahmt werden[1], lassen ihre poetischen
Grundsätze meines Erachtens eindeutig Charakteristika der
Moderne erkennen. Ihre Positionen sind typisch für ästhetische Auffassungen, die sich gegen Ende der sechziger Jahre
herausbildeten, als hierzulande der französische »nouveau
roman« für umfängliche Debatten sorgte. Sowohl Christa
Wolf als auch Handke beziehen sich – wie damals üblich –
auf die theoretischen Schriften Alain Robbe-Grillets[2] und
wollen zugleich über dessen Auffassungen hinausgehen. Ihre
Ansichten gegen jene abzugrenzen, die etwa zur gleichen
Zeit von den Vordenkern der Postmoderne in Amerika entwickelt wurden, drängt sich auf. Doch solche Zu- und Ein-

ordnungen haben immer auch ihre Tücken: So hilfreich sie dabei sind, bestimmte Aspekte der Arbeit eines Schriftstellers hervorzuheben, so zuverlässig lenken sie von anderen, individuellen Zügen seines Werkes ab. Deshalb möchte ich Christa Wolf und Handke hier nicht allein als Stellvertreter einer einflußreichen Strömung der deutschsprachigen Moderne betrachten, sondern auch zeigen, zu welchen Ergebnissen ihre jeweiligen poetologischen Überzeugungen in den vergangenen Jahrzehnten geführt haben – und das nicht nur in ihrer eigenen Arbeit. Denn ohne Zweifel gehören diese beiden Schriftsteller zu den prägenden Gestalten unseres literarischen Lebens, die mit ihren Büchern vielfach und auf vielfältige Weise Schule machten.

Rindfleischsuppe, Sanddornsaft, Gerbera

Christa Wolfs Erzählung *Was bleibt* enthält keine Überraschungen. Um so überraschter dürfte die Autorin gewesen sein, als ihr das Buch in der westdeutschen Presse die heftigsten Verrisse ihrer Laufbahn eintrug.

Worum geht es in *Was bleibt*? In der Ich-Form wird von einem Tag im Leben einer DDR-Schriftstellerin berichtet, die Christa Wolf zum Verwechseln gleicht. Wir erfahren, wie sie aufsteht, sich anzieht, aufräumt und frühstückt. Von Zeit zu Zeit sieht sie aus dem Fenster und registriert, wie seit Wochen schon, daß vor ihrer Haustür ein Wagen mit drei jungen Herren steht, die sie beobachten sollen. Die Überlegungen, die sie an diese Tatsache knüpft, sind naheliegend: Die drei könnten ihrer Meinung nach einer sinnvolleren Beschäftigung nachgehen, als sie durch die unübersehbare Observation gezielt zu verunsichern. Sich selbst und ihre »Arbeitsmoral« stellt sie als Vorbild hin: »Ich wollte nicht aufgeben, wie jene jungen Herren aufgegeben hatten, als sie sich, anstatt ordentlich zu arbeiten, vielleicht aus einem untilgbaren Hang zur Ein- und Unterordnung zu solch not-dürftig verbrämtem Nichtstun anheuern ließen.«³

Weiterhin wird mitgeteilt, daß die Schriftstellerin mit einem Freund telefoniert, einkaufen geht, sich mit einer Verkäuferin über deren Freundin unterhält, einen Bekannten trifft, der sie nicht erkennen will, und daß sie nach ihrer Heimkehr ihre Post liest. Gegen Mittag wärmt sie sich die Rindfleischsuppe vom Vortag auf, telefoniert mit ihrer jüngeren Tochter und wird von einer Autorin besucht, die in ihrer literarischen Arbeit ermutigt werden möchte. Am Nachmittag fährt sie ins Krankenhaus zu ihrem Mann, bringt ihm Sanddornsaft, stellt fest, daß es ihm bessergeht, und bricht dann auf zu einer Lesung im Club der Volkssolidarität. Die Veranstaltung verläuft ruhig, doch vor dem Haus werden Besucher, die im Saal keinen Platz mehr fanden, von der Polizei auseinandergetrieben. Um dreiundzwanzig Uhr fünf kehrt die Schriftstellerin in ihre Wohnung zurück, stellt die Gerbera ins Wasser, schaut ein wenig fern, liest, telefoniert mit ihrer ältesten Tochter und dreht schließlich das Licht aus.

Eine Geschichte, wie das Leben sie schreibt, keine Frage. Ebenso fraglos aber ist das Leben ein erbärmlicher Dramaturg und zumeist ein außerordentlich weitschweifiger Autor. Das Thema von *Was bleibt* hat zweifellos seine Reize: Was geschieht mit einem Menschen, der bemerkt, daß ihn ein totalitäres Regime unter Aufsicht gestellt hat? Was ist das für eine Angst, die ihn daraufhin beschleicht, wie verändert sie sein Bewußtsein, und auf welche Weise versucht er, mit der latenten Bedrohung zu leben? Doch Christa Wolf deckt diese Fragen zu unter einem Berg von Alltäglichkeiten, die nur die Neugier solcher Leser befriedigen können, die ganz genau erfahren möchten, wie eine Schriftstellerin lebt, die Christa Wolf täuschend ähnlich sieht. Das Buch konzentriert sich auf die selbstverständlichen Verrichtungen und Gedanken der Hauptfigur, auf gewöhnliche Besuche und Dialoge, auf Rindfleischsuppe, Sanddornsaft und Gerbera.

All das ist bei Christa Wolf Programm. Schon Anfang der siebziger Jahre stellte sie ausdrücklich fest, ein Prosaautor müsse »um der inneren Authentizität willen, die er anstrebt, den Denk- und Lebensprozeß, in dem er steht, fast ungemildert (Form mildert aber immer, das ist ja eine ihrer Funktionen) im Arbeitsprozeß mit zur Sprache«[4] bringen. Damals schon zog sie es vor, »das Schreiben nicht von seinen Endprodukten her zu sehen, sondern als einen Vorgang, der das Leben unaufhörlich begleitet, es mitbestimmt, zu deuten sucht; als Möglichkeit, intensiver in der Welt zu sein, als Steigerung und Konzentration von Denken, Sprechen, Handeln. Ein Vorgang, der auch gewisse Teil-Ergebnisse hervorbringt, die man drucken kann«[5]. Dieser Idee einer »subjektiven Authentizität«, durch die sie ihren eigenen Worten nach zu einer verlorengeglaubten Spontaneität zurückfand, sind bislang fünf Bücher Christa Wolfs verpflichtet: *Nachdenken über Christa T.* (1969), *Kindheitsmuster* (1976), *Störfall* (1987), *Sommerstück* (1989) und *Was bleibt* (1990). Die Autorin modelliert in diesen Prosaarbeiten konsequent weiter an der Figur einer Schriftstellerin, die ihr gleicht wie ein Ei dem anderen und aus deren Leben sie dem Leser keinen Zufall oder Einfall, keine noch so nebensächliche Begebenheit oder Wahrnehmung scheint vorenthalten zu wollen.

Bleibt die Frage, weshalb gerade *Was bleibt* bei vielen Kritikern in der Bundesrepublik so großen Unwillen erregte. Schon die ersten Verrisse ließen erkennen: Anhand dieses Buches wurde die politische Abrechnung mit Christa Wolf gesucht, von den literarischen Qualitäten von *Was bleibt* war kaum die Rede.[6] Man hielt ihr vor, daß sie – die seit Beginn ihrer literarischen Karriere vom Regime der DDR als kulturelles Aushängeschild benutzt worden war – sich mit diesem Buch wenige Wochen nach dem Sturz des Regimes als Opfer des realen Staatssozialismus präsentierte. 1987 hatte sie noch den Nationalpreis erster Klasse der DDR aus den Händen Erich Honeckers entgegengenommen, und 1990 erzählte sie in *Was bleibt* von einer bespitzelten, ja bedrohten Schriftstellerin, die man für ein alter ego nicht nur halten konnte, sondern halten mußte. Übersehen wurde im Eifer des publizistischen Gefechts gern, daß Christa Wolf den Machthabern ihres Landes keineswegs immer willfährig war, sondern seit Mitte der sechziger Jahre ihnen gegenüber auch widerspenstig oder offen mißbilligend auftrat. Als sie 1976 die Petition gegen die Ausbürgerung Wolf Biermanns als eine der Ersten unterschrieb, wurde sie zwar nicht, wie andere Unterzeichner, aus der Partei ausgeschlossen, aber mit einer Rüge bedacht. Es ist also nicht nur möglich, sondern sogar recht wahrscheinlich, daß sie, wie jene Schriftstellerin in *Was bleibt*, in der Zeit danach zum Observationsziel des Ministeriums für Staatssicherheit wurde. Als sich jedoch im Laufe der achtziger Jahre die Kulturpolitik der DDR liberalisierte, wurde der Graben zwischen Christa Wolf und der Partei wieder schmaler, so daß sie schließlich über ihn hinweg den Nationalpreis annahm.

Zurück zu ihrem literarischen Programm, zur »subjektiven Authentizität«. Christa Wolfs Plädoyer für eine möglichst unvermittelte Lebensmitschrift, die explizit ohne die Absicht auszukommen versucht, den erlebten Stoff in eine Kunst-Form zu bringen, geht einher mit grundsätzlichen Vorbehalten gegenüber der traditionellen Romanfabel. Sie betrachtet die realistische Erzählweise als ebenso mechanistisch wie die astronomischen Vorstellungen des Isaac Newton: »Wer lange in den Kategorien der Newtonschen Himmelsmechanik gedacht hat, wird es allmählich natürlich finden, wenn der gesellschaftliche Mechanismus ähnlich funktionieren soll: Feste Objekte bewegen sich fortgesetzt auf berechneten Bahnen und wirken nach berechenbaren Gesetzen aufeinander ein: abstoßend, anziehend, zuweilen auch, bei Himmelskatastrophen, zerstörend. Ein Romancier muß unter solchen Umständen darauf verfallen, den Roman als ein Mittel zu benutzen, um gewisse Objekte – literarische Helden – durch Raum und Zeit zu transportieren. [...] Die Fabeln, die den alten Gesetzen der Newtonschen Dramaturgie folgen, gleiten, ohne Widerstand zu finden, auf ausgeschwemmten Bahnen in unser Inneres. Prosa, die wieder wirken wollte, mußte sich einer neuen Realität auf neue Weise bemächtigen, mußte, unter anderem, beginnen, sich von der zum Klischee erstarrten, aus Versatzstücken gefertigten ›Fabel‹ alter Provenienz zu trennen; mußte und muß ein mechanisches zugunsten eines dialektischen Weltverhältnisses zu überwinden suchen.«[7]

Dieser Argwohn gegenüber der Romanfabel und der realistischen Erzählweise, aber auch ihr erklärtes Ziel, eine gänzlich neue Prosaform zu entwickeln, die »sich einer neuen Realität auf neue Weise« bemächtigt, kann man als moderne Elemente in der Poetik Christa Wolfs betrachten. Sie versucht der Wirklichkeit durch ihre Texte habhaft zu werden, versucht eine Schreibweise zu entwickeln, die noch realistischer ist als die der Realisten – und steht mit diesem Wunsch ironischerweise in der Tradition der von ihr kritisierten Realisten.

Die Postmoderne würde dagegen betonen, daß schlichtweg jede künstlerische Annäherungsweise an die Wirklichkeit, da perspektivisch gebunden, unzureichend bleibt – und daß dies dem Leser anspruchsvoller Literatur heute sehr wohl klar ist. In das Bewußtsein eines solchen Lesers dringt, anders als Christa Wolf vermutet, keine Fabel und keine Dramaturgie widerstandslos ein, jedenfalls nicht ohne den Vorbehalt, daß es sich dabei um Fiktionen handelt. Ein postmoderner Autor hebt deshalb den künstlichen Charakter seiner Geschichten, ihr konstruktives Element gern durch Zitate, Anspielungen oder andere relativierende Stilmittel hervor, ohne sie deshalb gleich ganz und gar zerfallen zu lassen. Er erkennt, um an Julian Barnes' Formulierung zu erinnern, daß die »angenommene Göttlichkeit des Romanciers im neunzehnten Jahrhundert« ebenso ein »Kunstgriff« ist wie »die beschränkte Perspektive des modernen Romanciers«[8], und gewinnt so eine beträchtliche ästhetische Bewegungsfreiheit zurück. Es geht ihm darum, mit den verschiedenen ästhetischen Vorstellungen von Realität sein Spiel zu treiben, ohne jemals, wie Christa Wolf es tut, zu behaupten, sich auf diese Weise der Realität tatsächlich »bemächtigen« zu können. Statt dessen möchte er mit seinen Büchern die Denkmöglichkeiten seiner Leser erweitern, Fixierungen aufbrechen, allzu feste intellektuelle Zielvorgaben wieder ein wenig auflockern.

Christa Wolfs »subjektive Authentizität« läuft im Gegensatz hierzu auf einen Selbstversuch mit epischen Mitteln hinaus: Nicht mehr erfundene Gestalten, sondern sich selbst soll der Schriftsteller den Spannungsverhältnissen seiner Zeit aussetzen, um dann in empfindungsintensiver, spontaner Prosa jene Reaktionen zu protokollieren, die er am eigenen Leib und vor allem an der eigenen Seele verspürt. Da Christa Wolf zugleich erwartet (und bei einer solch engen Verquickung von Literatur und Leben erwarten muß), daß sich der Autor bei dieser rückhaltlosen Verflechtung mit seiner Gegenwart politisch auf die richtige Seite stellt, bekommt ihr ästhetisches Programm moralische Grundtöne, die man mit Blick auf die Geschichte der Literatur bestenfalls als wohlmeinende Wünsche bezeichnen kann: Für den von ihr entworfenen Autor ist »Schreiben das Mittel [...], sich mit der Zeit zu verschmelzen in dem Augenblick, da beide ihre dichteste, konfliktreichste und schmerzhafteste Annäherung erfahren. Die Energiemenge, die aufgebracht werden muß, um den Schmelzpunkt zu erreichen, ist beträchtlich. Nicht weniger als der volle Einsatz der eigenen moralischen Existenz ist gefordert, jedesmal neu.«[9]

Es liegt auf der Hand, daß Christa Wolfs Nein zu den literarischen Formen ein großes Risiko barg und birgt: Die Form muß nicht eine Fessel, sie kann auch eine Hilfe für den Autor sein, das Wesentliche vom Nebensächlichen zu trennen. Sie wird gleichsam zu einem Filter, der aussondert, was eine Geschichte verwässert, anstatt sie zu verdichten. Konkret: Christa Wolfs Vorsatz, ihre Erfahrungen so unmittelbar wie möglich mitzuteilen, droht ihre Bücher zu Meditationen über mehr oder minder zufällige und nicht über komponierte Bewußtseinsprozesse werden zu lassen. Es fragt sich, ob dieses Selbstgespräch, das man neugierig (oder auch teilnahmslos) belauschen kann, den Leser etwas angeht.

In ihrem Meisterwerk *Nachdenken über Christa T.* hat Christa Wolf vorgeführt, wie diese Klippe umschifft werden kann: Ihre Erzählerin folgt den Spuren einer früh verstorbenen, unauffälligen Freundin. Je tiefer sie in ihre Erinnerungen an Christa T. hinabsteigt, desto deutlicher treten die außerordentlichen Talente dieser Frau zutage, die zu entfalten sie nie Gelegenheit fand. So gibt sich Christa T. schließlich nicht als alltäglicher, sondern als ein zur Alltäglichkeit gezwungener Mensch zu erkennen, dessen Schicksal wenig über ihre wahren Fähigkeiten, viel dagegen über die Welt verrät, in der sie lebte. Obwohl das Buch also kaum mehr beschreibt als eine Reise durch das Gedächtnis der Erzählerin, die Christa Wolf wiederum aufs Haar gleicht, steht hier eine andere Person im Mittelpunkt. Deren Porträt jedoch verlangte der Autorin sprachliche Präzision und erzählerische Disziplin ab. Nur so konnte sich diese aus einem fragilen Erinnerungs-Mosaik zusammengesetzte Figur schließlich doch zu einer souveränen und plastischen Romanheldin auswachsen, an deren Leidensweg sich dann jene Verletzungen und Verkrüppelungen ablesen lassen, die Menschen von einer Gesellschaft zugefügt werden können.

Eine solche literarische Intensität hat Christa Wolf dann in ihrem autobiographischen Großunternehmen *Kindheitsmuster* nicht wieder erreicht. Das Mädchen Nelly Jordan, das in diesem Buch die Rolle Christa Wolfs übernimmt, gewinnt kein sinnlich präsentes Eigenleben. Ihr Werdegang zerfällt in eine Flut privater Anekdoten. Gewiß, nicht wenige Leser haben diese Familiensaga wohl mit voyeuristischem Interesse im Hinblick auf die Autorin verfolgt. Doch an keiner Stelle wird die Geschichte einer vom Nationalsozialismus geprägten Jugend zum exemplarischen Fall, in dem die Altersgenossen ihre eigene Herkunft hätten erkennen können oder gar müssen. Ebenso verliert sich auch die Beschreibung von Nellys Gefühlsleben immer wieder in Details: Winzige Regungen, marginale Träume, beiläufige Eindrücke werden vor dem Leser ausgebreitet; das Buch nimmt sich gelegentlich aus wie eine in jeder Hinsicht erschöpfende Anamnese, die ein sicher erschütterndes, aber doch sehr individuelles Seelenleid sichtbar macht. Es ist deshalb nur folgerichtig, wenn manche Literaturwissenschaftler ungeniert dazu übergingen, nicht mehr den Text, wohl aber die Psyche der Autorin zu analysieren – mithin *Kindheitsmuster* nicht als ein Stück Literatur, sondern als einen Krankenbericht zu lesen.[10]

Das soll selbstverständlich nicht heißen, Christa Wolf müsse mit diesem Buch das Ziel verfehlt haben, das sie in ihrer programmatischen Beschreibung der »subjektiven Authentizität« hervorhob: nämlich das Schreiben zu betrachten »als Möglichkeit, intensiver in der Welt zu sein, als Steigerung und Konzentration von Denken, Sprechen, Handeln.« Fraglich ist jedoch, ob und in welchem Maße sich diese beabsichtigte kathartische Wirkung durch den Text auf den Leser überträgt, ob ihm also mit literarischen Mitteln eine intellektuelle *und* sinnliche Teilnahme an den geschilderten Erfahrungen ermöglicht wird, oder ob es private Aufzeichnungen ohne Ausstrahlungskraft auf Dritte bleiben, Aufzeichnungen, denen die Verweisungskraft, die symbolische Dimension fehlt.

Bezeichnend ist in diesem Zusammenhang Christa Wolfs *Störfall*, das Buch, in dem sie von dem Tag berichtet, an dem die Nachricht von der Havarie des Kernreaktors in Tschernobyl Deutschland erreichte. Auch hier steht eine Schriftstellerin im Mittelpunkt, die sich wie eine Doppelgängerin Christa Wolfs ausnimmt, auch hier werden austauschbare Alltäglichkeiten für mitteilenswert erachtet: der Markenname des Radiogerätes genauso wie der Entschluß,

Rote-Kreuz-Lose zu kaufen, die Zusammenstellung des Abendbrots gleichermaßen wie die Fahrradfahrt aus dem Dorf hinaus, die Zahl der aufgegangenen Zucchini-Keimlinge nicht anders als der Entschluß, japanische Friedensblumen aus ihren Töpfen ins Beet vorm Haus umzupflanzen. Neben solchen Einzelheiten, die eher benannt als beschrieben, also nicht für den Leser vergegenwärtigt werden, schildert Christa Wolf ein ganz unerhörtes Erlebnis: die Begegnung mit einem »fremden, unbekannten Gott«, dem sie sich auf nur vage angedeutete Weise nähert: »Indem ich mein Sinnen und Trachten auf ihn gerichtet habe, geschah es, daß ich seiner gewahr geworden bin. Eine Sekundenerfahrung, die in Worte zu fassen niemand mir zumuten wird. Nur soviel: Wenn ich mich recht erinnere, war der Gesichtssinn, unser Leitsinn, an meinem Erlebnis kaum oder gar nicht beteiligt. Obwohl ich gespürt habe, unter einer unerhörten, mich womöglich zerreißenden Anstrengung könnte ich die mich plötzlich umgebende Macht oder Kraft oder Energie oder Potenz (bis zum Schmerzhaften verdichtete Atmosphäre) auch dazu bringen, sich zu materialisieren: ihr Gesicht zu zeigen. Ich habe diese Anstrengung nicht gewagt. Eilig, eilig habe ich die Spannung, knapp ehe sie unerträglich wurde, wieder abgebaut, und meine Furcht ist groß gewesen.«[11]

Obwohl das mystische Zusammentreffen mit dieser Macht für die Erzählerin zutiefst aufwühlend war und für den Leser bemerkenswert genug sein dürfte, reißt Christa Wolf es nur mit wenigen flüchtigen Bemerkungen an. Sie unterläßt es, wie so oft in ihren Büchern der »subjektiven Authentizität«, diese zentrale Erfahrung »in Worte zu fassen« und also anschaulich zu machen. Sie registriert nur, was geschieht, anstatt es vorzuführen, sie zählt es auf, aber sie erzählt es nicht. Ob es der Autorin auf diese Weise gelingt, ihren subjektiven Erlebnissen möglichst authentisch gerecht zu werden, entzieht sich dem Urteil des Lesers. Daß aber die Suggestionskraft ihre Texte unter diesem Verfahren leidet, scheint mir offensichtlich.

»Es interessiert mich als Autor übrigens gar nicht, die Wirklichkeit zu zeigen oder zu bewältigen, sondern es geht mir darum, *meine* Wirklichkeit zu zeigen (wenn auch nicht zu bewältigen). [...] Ich habe keine Themen, über die ich schreiben möchte, ich habe nur ein Thema: Über mich selbst klar, klarer zu werden, mich kennenzulernen oder nicht kennenzulernen, zu lernen, was ich falsch mache, was ich falsch denke, was ich unbedacht denke, was ich unbedacht spreche, was ich automatisch spreche, was auch andere unbedacht tun, denken, sprechen: aufmerksam zu werden und aufmerksam zu machen: sensibler, empfindlicher, genauer zu machen und zu werden, damit ich und andere auch genauer und sensibler existieren können, damit ich mich mit anderen besser verständigen und mit ihnen besser umgehen kann.«[12]

Das schrieb Peter Handke 1967 und grenzte sich damit entschieden ab gegen jene Formen von politisierter Literatur, wie sie damals in der Bundesrepublik zu sehr vorübergehenden Ehren gelangten. Parallel dazu kann man natürlich Christa Wolfs Entwurf einer »subjektiven Authentizität«, den sie zuerst 1968 in *Lesen und Schreiben* formulierte, als den Versuch betrachten, jene Normen des sozialistischen Realismus zurückzuweisen, mit denen ihr die Kulturfunktionäre der DDR unermüdlich in den Ohren lagen. Beide gaben so, als die Ideologisierung der Literatur und der Literaten noch kräftig voranschritt, bereits die Stichworte vor, die dann im Westen nach dem Scheitern der hochfliegenden politischen Erwartungen, mit dem Markenzeichen »Neu« versehen, als ästhetische Orientierungspunkte dienten: Neue Subjektivität, Neue Sensibilität, auch Neue Innerlichkeit genannt.

Wie Christa Wolf stellt Handke sich und sein Erleben entschlossen in den Mittelpunkt seiner Poetik. Auch er wendet sich gegen das traditionelle Erzählen, gegen Geschichten oder den Begriff der Fiktion überhaupt und bemüht sich, der Realität auf anderen literarischen Wegen näher zu kommen. Ein weiterer dezidiert moderner Punkt seines Programms ist die Behauptung eines radikalen Innovationszwangs: Alle bereits bekannten Möglichkeiten, die Welt darzustellen, so resümiert er, genügen ihm nicht mehr. »Eine Möglichkeit besteht für mich jeweils nur einmal. Die Nachahmung dieser Möglichkeit ist dann schon unmöglich. Ein Modell der Darstellung, ein zweites Mal angewendet, ergibt keine Neuigkeit mehr, höchstens eine Variation. Ein Darstellungsmodell, beim ersten Mal auf die Wirklichkeit angewendet, kann realistisch sein, beim zweiten Mal schon ist es eine Manier, ist irreal, auch wenn es sich wieder als realistisch bezeichnen mag.«[13] Statt irgendeine der bereits vorliegenden literarischen Methoden unbedacht zu übernehmen, solle ein Schriftsteller, fordert Handke mit subjektiv gewendetem Revolutionspathos, immer neue Methoden entwickeln, die immer neue Aspekte der Realität erkennbar werden lassen.

Getreu diesen Leitsätzen, die seinerzeit als »nonkonform« galten, aber deutlich den erneuerungstrunkenen, reformgläubigen Geist der ausgehenden sechziger Jahre atmen, ging Handke mit allerlei Gewohnheiten des Wahrnehmens, Verstehens oder Sprechens ins Gericht. In seinen ersten Stücken greift er sie direkt an: so in *Publikumsbeschimpfung* (1965) die Konventionen des Theaters, in *Kaspar (1967)* die Übereinkünfte der Sprache und in *Ritt über den Bodensee* (1970) die Grundlagen der Kommunikation und des Denkens überhaupt. In seinen Prosaarbeiten entwirft er vornehmlich Figuren, deren Wahrnehmungsweise sich von der ihrer Mitmenschen gründlich unterscheidet und die deshalb ein, milde formuliert, exzentrisches Verhalten an den Tag legen. Diese Reizbarkeit in des Wortes doppelter Bedeutung läßt einige von ihnen zu Gewalt und Totschlag greifen: Der Tormann Josef Bloch etwa fühlt sich vom banalen Sprachgebrauch im Allgemeinen und den abgeschmackten Phrasen eines Mädchens im Besonderen derart irritiert, daß er dieses Mädchen erwürgt – doch er kann seine eigenen Beobachtungen so wenig in Worte fassen, daß er sie mitunter in Piktogramme[14] umzusetzen versucht. Für den Botschaftsreferenten Gregor Keuschnig dagegen genügt es, davon zu träumen, ein Mörder zu sein, um aus allen Selbstverständlichkeiten des Lebens herausgerissen zu werden: Im Laufe eines Tages wird ihm die Umwelt (und er sich selbst) so fremd, daß er beim Abendessen auf eine harmlose Frage hin seinem Gast einen Pfirsichkern ins Gesicht spuckt, sich entkleidet, die Frau jenes Gastes anfällt, um dann auf jeden einzuschlagen, der ihm zu nahe kommt.[15] Der Lehrer Andreas Loser wiederum, ein bereits zu Anfang seiner Geschichte höchst empfindsamer Einzelgänger, erregt sich über einen Hakenkreuze schmierenden Altnazi so sehr, daß er ihn erschlägt – und betrachtet seine Tat dann als »eine Herausforderung«[16], angesichts derer er noch empfindsamer wird.

Es ist das nicht »automatische«, nicht »unbedachte«, also das genau reflektierte und individuelle Wahrnehmen, das Handkes Prosapersonal auszeichnet. Immer wieder stellt der Autor deshalb auch Erfahrungen, Tätigkeiten oder Augenblicke in den Mittelpunkt seiner Bücher, durch die ein Mensch aus dem gewohnten Gleichmaß des Erlebens herausgerissen werden kann und die seinen Wahrnehmungen eine besondere Intensität verleihen. Das geschieht oft durch die Reisen seiner Helden (wie in *Die Abwesenheit*, 1987) oder durch ihr Gefühl der Heimatlosigkeit: So entwickelt der Ich-Erzähler aus dem Roman *Der kurze Brief zum langen Abschied* (1972) auf seinem Weg durch Amerika eine neue und begeistert begrüßte Originalität des Sehens. Doch ist es nicht nur das fremde Land, das seinen Blick schärft: Er fühlt sich zudem von seiner Frau verfolgt und ist also besonders auf der Hut – wie der Tormann Bloch vor der Polizei und Botschaftsreferent Keuschnig vor den prüfenden Blicken jedes Passanten. Auch Kunstwerken (*Die Lehre der Sainte-*

Victoire, 1980) und einem bestimmten Grad der Erschöpfung (*Versuch über die Müdigkeit*, 1989) billigt Handke jenen wahrnehmungssteigernden oder, um auf ein Wort der sechziger Jahre zurückzugreifen, bewußtseinserweiternden Effekt zu. Die gleiche Wirkung hat für seine Figuren in Liebesdingen eher der Moment des Abschiednehmens als jener der Vereinigung (*Die Stunde der wahren Empfindung*, 1975, *Die linkshändige Frau*, 1976, oder *Mein Jahr in der Niemandsbucht*, 1994): »Die Trennung erschien mir, im Vergleich zu unserem Einsgewesensein, als die höhere Wirklichkeit [...]. Und in der Tat fühlte ich mich nie der Welt so nah, als wenn es für mich niemand und nichts mehr gab.«[17] Gleiches gilt bei Handke für die erste Zeit des Friedens nach einem Krieg, wie er sie gegen Ende von *Mein Jahr in der Niemandsbucht* oder in *Über die Dörfer* (1981) beschwört: »Denkt nach: habt ihr euren Krieg nicht hinter euch? So verstärkt die friedliche Gegenwart und zeigt die Ruhe von Überlebenden: das Ich ist ruhig. Und das Wissen, daß ihr Überlebende seid, macht zugleich heiß. [...] Wartet nicht auf einen neuen Krieg, um geistesgegenwärtig zu werden«[18].

Welchen eminenten Wert Handke einer solchen erhöhten Perzeption, einem solch unmittelbaren Erfahren der Dinge zurechnet, belegt nicht zuletzt sein Journal *Das Gewicht der Welt* (1977). Hier ging er so weit, beliebige »Eindrücke, Erlebnismomente«, die er im »Zustand der angespannten Aufmerksamkeit« gemacht und notiert hatte, ohne jedes Organisationprinzip zu publizieren. Auch er ist, wie Christa Wolf, glücklich über »das Erlebnis der Befreiung«, jenseits literarischer Formen zu arbeiten »in einer mir bis dahin unbekannten literarischen Möglichkeit.«[19]

Doch bei Handke wird daraus kein Programm. Schon mit dem nächsten Buch, der Erzählung *Langsame Heimkehr* (1979), nimmt sein Werk eine quasireligiöse Wende: Sein Held Sorger anerkennt das Ende der bekannten kosmologischen Ordnungssysteme und ist zugleich – in der Tradition der Moderne – versucht, »der Welt seinen eigenen Schwindel [zu] unterschieben«[20]. Schließlich gewinnt er – bemerkenswerterweise während er zeichnet, also während er an einem Kunstwerk arbeitet – die ganz und gar nicht postmoderne Gewißheit: »Jeder einzelne Augenblick meines Lebens geht mit jedem anderen zusammen – ohne Hilfsglieder. Es existiert eine unmittelbare Verbindung: ich muß sie nur freiphantasieren.«[21]

Handkes Tendenz, die Entzauberung der Welt durch literarische Kraftakte zumindest teilweise aufzuheben und vormoderne Gewißheiten zu beschwören, wird in den folgenden Büchern unübersehbar. So bemüht er sich beispielsweise in *Der Chinese des Schmerzes* (1983) darum, ein mythisches Verhältnis des Menschen zur Schwelle – die schon während der Romantik als Leitsymbol für die Vereinigung des Getrennten herhalten mußte – wiederzubeleben: »Jeder Schritt, jeder Blick, jede Gebärde sollte sich selber als einer möglichen Schwelle bewußt werden und das Verlorene auf diese Weise neu schaffen. Das veränderte Schwellen-Bewußtsein könne dann die Aufmerksamkeit neu von einem Gegenstand auf den anderen übertragen, von diesem dann auf den nächsten, und so weiter, bis sich auf der Erde wieder die Friedensstaffel zeige, wenigstens für den betreffenden Tag«[22].

Handkes beharrliches Bekenntnis zu den verschiedenen Wegen, die Wahrnehmung stärker und genauer werden zu lassen, hat in seiner Prosa allerdings eine Kehrseite. Es ist die Ablehnung, wenn nicht der Dünkel all jenen gegenüber, die, aus welchen Gründen auch immer, im herkömmlichen Wahrnehmungsspektrum bleiben möchten oder müssen, die nur ungern Konventionen des Handelns oder Verhaltens aufkündigen. Wer sich nicht erkennbar gegen das Gewohnte oder Gewöhnliche auflehnt, wer es hinnimmt und sich mit ihm arrangiert, über den wird schnell der Stab gebrochen. »Wie schamlos sie sich betrachten ließen«, heißt es über die Gäste eines Pariser Cafés, deren einziges Vergehen es ist, sich wie üblich zu verhalten, »als sei ohnedies schon alles über sie gesagt, und sie hätten nichts mehr zu fürchten.«[23] Die Mißbilligung, mit der Handke einer solchen Trägheit nicht des Herzens, sondern der Wahrnehmung begegnet, steigert sich gelegentlich bis zum Ekel und zur offenen (Publikums-)Beschimpfung, kurz: zu einer Massenverachtung, für die sich in der modernen Literatur durchaus Vorbilder finden lassen. Die Welt unterteilt sich für ihn in indolente Spießer auf der einen Seite und den kleinen Kreis der Sensiblen und folglich Auserwählten auf der anderen. Er macht damit aus einer ästhetischen Frage, nämlich der nach der sinnlichen Empfindlichkeit eines Menschen, unter der Hand eine moralische Kategorie: »Es ist richtig: viele, auch im prächtigsten Aufzug, sind unfähig zum Festesblick. Aber wenn die meisten nicht erhebbar sind, seid die Erhebbaren. Freilich seid ihr wenige – aber die Wenigen, sind sie denn wenig? Seht weg von den Ausgekochten, den viehischen Zweibeinern. Sie sind vielleicht schlau, ihr aber, seid wirklich.«[24] Eine Verachtung dem gewöhnlichen Bürger gegenüber, die sich, nebenbei bemerkt, in politischer Hinsicht vorzüglich mit antidemokratischen Affekten verbindet.

Handkes Manichäertum in Fragen der Empfindungsfähigkeit verleiht seinen Büchern oft etwas Willkürliches. Seine Prosa präsentiert dann nicht einen frischeren, genaueren Blick auf die Welt, sondern einfach nur einen anderen und veränderten. Figuren wie Bloch, Keuschnig oder Loser haben sich zweifellos von der Alltagswahrnehmung entfernt, doch macht das ihre Sicht der Dinge keineswegs schärfer. Im Gegenteil: Sie hat, bis hin zu ihren Gewaltausbrüchen, einen Zug ins Wahllose, Zufällige. Ihre hervorstechende Eigenschaft ist die Distanz zur Norm. Ihr Erleben soll fremd sein, soll Abstand wahren zum Erleben »der Ausgekochten, der viehischen Zweibeiner«. Das tut es auch, zugegeben. Doch liegt die Frage nahe, welchen Gewinn der Leser aus dieser Fremdheit um der Fremdheit willen ziehen kann, jenseits der evidenten Wahrheit, daß es neben Gewohntem auch Ungewohntes gibt – eine Wahrheit, von der man sich unterfordert fühlen kann.

Verbeugungen vorm Blatt

Gemeinsam ist Christa Wolf und Peter Handke vor allem eins: das schier grenzenlose ästhetische Vertrauen in ihr persönliches Erleben. Da ihnen der traditionelle literarische Realismus fragwürdig wurde und die Realität zum ungreifbaren, schillernden Begriff, ziehen sie sich beim Schreiben programmatisch auf ihre subjektive Realität zurück – denn die allein bietet ihnen scheinbar noch Gewißheit angesichts der modernen Uneindeutigkeit. Eine solche Entscheidung hat allerdings bemerkenswerte Konsequenzen: Für Christa Wolf entwickelt sich die Authentizität zum zentralen Kriterium der Literatur, für Handke die Sensibilität, mit der die Dinge wahrgenommen werden. Was sie erleben und wie inständig sie es aufnehmen, gibt den Ausschlag; der Schriftsteller wird in seiner Subjektivität zum Ausgangs- und Mittelpunkt aller ästhetischen Überlegungen: »Vor allem will ich mich selber erhalten, erweitern, mich selber auffrischen.«[25] Beide vertreten eine radikale Produktionsästhetik, die sie psychologisch grundieren.

Die Frage nach der Rezeption jedoch, wie eindringlich das Erlebte an die Leser weitergegeben, wie suggestiv es über das Medium Sprache vermittelt wird, spielt in den beiden Poetiken nur eine sehr untergeordnete Rolle. Es geht den zwei Autoren darum, durch das Schreiben »intensiver in der Welt zu sein« (Christa Wolf) oder »aufmerksamer zu werden« (Handke), nicht so sehr darum, über das Geschriebene eine Welt zu entwerfen, die andere intensiv und aufmerksam erleben können. Es kommt für sie bei der Arbeit des Schriftstellers auf den Ausdruck seiner Individualität an, nicht auf den Eindruck, den seine Arbeit bei anderen Individuen hervorzurufen in der Lage ist. Wodurch sich die Möglichkeiten, die Bücher der beiden am jeweils selbstgestellten Vorhaben zu messen, erheblich reduzieren, denn letztlich kann über Authentizität und Wahrnehmungsintensität eines Textes nur dessen Autor entscheiden: Er allein weiß, was er und wie er etwas erlebt hat. Die zwei Autoren entziehen ihre Arbeit so tendenziell der (aus aufklärerischen, demokratischen Traditionen sich ableitenden) Literaturkritik – was vielleicht ihre oft heftigen Reaktionen auf negative Rezensionen erklärt.

Die formalen Gebote der Literatur, die der Subjektivität eines Autors Grenzen setzen und auf Kommunikation zielen, werden von beiden skeptisch betrachtet: Christa Wolf sieht in ihnen vor allem den unstatthaften Versuch, abzumildern, was der Schriftsteller erlebt hat; Handke verwirft sie ausnahmslos und verlangt für jeden Text andere, noch nie dagewesene Methoden, die immer neue Aspekte der Realität beleuchten sollen. Der Gegensatz zu einem Autor wie Nadolny, der die konstruktive Arbeit an einer Geschichte ausdrücklich betont und die kontrollierenden Mechanismen durch Sprache, Vernunft oder imaginierten Leser hervorhebt, könnte kaum größer sein: Während Christa Wolf und Handke in erster Linie auf den Ausdruck für das subjektiv Erfahrene aus sind, besteht Nadolny darauf, daß der Autor sein literarisches Material streng organisieren muß – auch wenn er sich darüber von seinen ersten Eindrücken oder Vorstellungen entfernt: »Der ursprüngliche Gedanke sucht das Weite, aus dem er gekommen ist, leicht gekränkt vielleicht, aber wen interessiert das schon.« Denn schließlich, so argumentiert Nadolny in postmodernem Sinne, läuft letztlich jeder Versuch, etwas Erlebtes sprachlich zu fixieren, auf dessen Verformung und also auf ein trügerisches Ergebnis hinaus – und daran ändert, nebenbei bemerkt, auch die Selbstbeschränkung auf eine subjektive Erlebniswelt nichts. Es gibt keine Authentizität, sondern zahllose Perspektiven, von denen keine einen herausgehobenen Rang beanspruchen kann. »Wenn aber ohnehin nichts zu ändern ist, sollte man nach Möglichkeit aufs Leiden verzichten und eine Lesart schaffen, mit der sich leben und schreiben läßt. Zum Beispiel, daß [...] Literatur aus Sprache bestehe, nicht aus vagen Befindlichkeiten, Traumresten und wohligen Rätseln, wie sie einen Autor hie und da unangemeldet befallen mögen.«[26]

Der Idee, das subjektive Erleben des Schriftstellers ins Zentrum seiner Arbeit zu stellen, fallen aber nicht nur jene literarischen Kategorien zum Opfer, die auf eine Wirkung des Textes beim Leser zielen. Diese Idee verlangt dem Leser zudem ein erhebliches Interesse an der Person des Schriftstellers ab. Denn der Autor schreibt nicht mehr von erdachten Figuren mit erfundenen und bedeutungsvollen Schicksalen, sondern – je ernster er es mit seinem Bekenntnis zur Subjektivität meint, desto genauer – von sich selbst in kaum camouflierter Form. Sein persönliches Leben und Erleben wird zum wesentlichen Thema seiner Bücher, auch wenn eine Schriftstellerexistenz nicht notwendigerweise sonderlich ereignisreich ist.

Die Absicht, der Realität literarisch habhaft zu werden – und sei es lediglich der eigenen subjektiven Realität –, wendet sich damit explizit gegen die Freiheiten der Einbildungskraft, die Bedeutung überhaupt erst konstituiert. Phantasie wird, erstaunlich genug, für einen solchen Autor geradewegs zum Störfaktor: »Die Phantasie scheint mir etwas Beliebiges, Unüberprüfbares, Privates zu sein. Sie lenkt ab«[27], schreibt Handke und auch Christa Wolf plädiert für eine Literatur ohne das »Gewimmel der erdichteten Gefühle. Einsicht herrscht, Nüchternheit und Kenntnis bei gesteigerter Sensibilität: Realismus.«[28]

Wie rasch eine solche entschieden subjektive, der Phantasie mißtrauende Literatur zu einer Selbstfeier des Schriftstellers und seiner Arbeit werden kann, läßt sich an einigen Büchern der beiden Autoren mustergültig zeigen. Der Ton beispielsweise, in dem Christa Wolf in *Was bleibt* von einer ihrer überwachten Lesungen in Ost-Berlin berichtet und herausstreicht, welcher Rang ihr von den Regimekritikern der DDR zugebilligt wurde, dürfte beträchtlich dazu beigetragen haben, daß sich so viele westdeutsche Kritiker gerade anläßlich dieser Erzählung zu einer politischen Abrechnung mit ihr aufgerufen fühlten. Und Handkes Prosa nimmt skurrile Züge an, wenn die »Sache des Schreibens«, die Suche nach einem »Ort für das Schreiben« und der Vorgang des »Ansschreibengehens«[29] zu den beherrschenden Themen des Textes werden oder wenn sich ein Schriftsteller, der Handke zum Verwechseln ähnlich sieht, in einer Erzählung pathetisch von seinem Tagwerk verabschiedet: »Er hob beide Arme und verbeugte sich vor dem Blatt, das in der Maschine steckte.«[30] Die Autoren drehen immer engere Pirouetten um sich selbst – und erwarten von den Lesern, jeder Drehung willig zu folgen.

Diese literarische Selbstbezogenheit ist mittlerweile zu einer leicht wiedererkennbaren Eigenheit geworden. Das überrascht gerade im Falle Handkes, hatte er doch so energisch gefordert, man müsse beim Schreiben jedweder Manier aus dem Wege gehen. Ähnliches gilt für seine vielgerühmte und nicht zu leugnende sprachliche Sensibilität – anhand derer sich noch einmal belegen läßt, in welche Aporien das moderne Innovationsgebot führt: Handkes Bemühen, alltägliche Sätze und Wendungen – also das, was »unbedacht« oder »automatisch« gesprochen wird – zu umgehen, ist bis in die Feinstrukturen seiner Bücher hinein spürbar. Gerade gewöhnliche Vorgänge oder Erfahrungen werden von ihm gern mit demonstrativ ungewöhnlichen Worten formuliert. Das verleiht seiner Prosa einen eigenwilligen, mitunter auch künstlichen Klang, der inzwischen zum wieder und wieder variierten und von vielen anderen Autoren gern kopierten Handke-Sound geworden ist. Gerade der emphatische Wunsch, das Sprach-Klischee um jeden Preis zu vermeiden, hat ein neues Sprach-Klischee hervorgebracht.

Schon solch paradoxer Ergebnisse wegen sind die entsprechenden Berührungsängste postmoderner Autoren deutlich geringer. Ihnen kommt es nicht so sehr darauf an, all dem auszuweichen, was als Klischee verdächtigt werden könnte – denn dieser Verdacht trifft letztlich alles; er wurde im Zeitalter der unbegrenzten Meinungsäußerung und der allgegenwärtigen Medien universal. Ihr Ziel ist es vielmehr, Klischees im Zweifelsfalle so geschickt zu verwenden, daß sie als Klischees erkennbar sind. Die Liebeserklärung eines postmodernen Romanhelden könnte also – wie es in Umberto Ecos berühmt gewordenem Beispiel[31] heißt – nicht mehr »Ich liebe dich inniglich« lauten, da er vermuten muß, die Umworbene werde dies als ein Zitat eines Dichters namens Liala erkennen. Statt dessen gesteht er seine Zuneigung spielerisch mit dem Satz: »Wie jetzt Liala sagen würde: Ich liebe dich inniglich«, da er so anklingen läßt, daß er weiß, daß sie weiß (und daß sie weiß, daß er weiß), daß es unschuldige Worte frei von Klischees nicht mehr gibt – und daß er deshalb versuchen muß, sie mit geliehenen Worten zu betören. Dieser bewußte Verzicht darauf, einer unerreichbar gewordenen Originalität nachzujagen, erlaubt es den Postmodernen, sich mit neuem Zutrauen auf Traditionen zu berufen, die der Moderne als überlebt galten. So nennt Nadolny in stilistischer Hinsicht ein Vorbild, dem auch Handke Referenzen erwies, kommt aber zu vollkommen anderen sprachlichen Ergebnissen als dieser: »Die klare Abfolge eines Erzählens, das ohne Prätentionen, ohne größere Aufstände dahinfließt, wirkt von selbst. [...] ›Mein Vater war ein Kaufmann‹, lautet der berühmte Anfangssatz zu Stifters *Nachsommer*. Ist das nicht ein wunderbarer Satz? Er kann eine ganze Welt aufnehmen, gerade weil er leer genug ist – die Wörter und der Leser tun das Ihre.«[32]

Natürlich kann man das Werk von Schriftstellern wie Christa Wolf und Peter Handke nicht anhand einiger weniger ästhetischer Kategorien auf den Begriff bringen und angemessen kritisieren. Obwohl Schlagworte wie Subjektivität, Authentizität oder Sensibilität für sie eine zentrale Rolle spielen, läßt sich ihre Arbeit nicht auf diese reduzieren. Zudem wäre es töricht, leugnen zu wollen, daß sie in enger Übereinstimmung mit oder im selbstbewußten Widerspruch zu ihren eigenen programmatischen Schriften außerordentliche Bücher geschrieben haben, wie *Nachdenken über Christa T.* (1969) oder *Kein Ort. Nirgends* (1979), wie *Der kurze Brief zum langen Abschied* (1972) oder *Wunschloses Unglück* (1972).

Auch können Christa Wolf und Handke nicht verantwortlich gemacht werden für jene Autoren, die in den siebziger und achtziger Jahren ihnen – oder einer diffusen literarischen Zeitstimmung namens Neue Subjektivität – nacheiferten und höchst mittelmäßige oder schlichtweg blamable Zeugnisse schriftlicher Selbstbespiegelung veröffentlichten. In welchem Maße ästhetische Ideen wie die der beiden seinerzeit zum theoretischen Allgemeingut gehörten, zeigt beispielsweise Reinhard Baumgarts Poetikvorlesung *Aussichten des Romans* (1968): Auch er setzt das traditionelle Erzählen, die Fabel und die Phantasie auf den Index und fordert eine Prosa, die »alle gelebte Zufälligkeit in sich«[33] aufnimmt. Oder etwa Jürgen Beckers Plädoyer *Gegen die Erhaltung des literarischen status quo* (1964), der die Bedeutung eines Textes zuallererst im »subjektiven Ausdrucksverlangen« des Autors sieht und deshalb zu dem Schluß kommt: »Nicht die Verkleidungen des Romans, sein Äußerliches, seine Fiktionen und Handlungsverläufe künden von den Erfahrungen, die das Individuum seinen Ausdruck suchen lassen. Erst jenseits des Romans findet das Schreiben den Sinn des Authentischen«.[34]

Aber auch wenn Christa Wolfs und Peter Handkes Werke nicht aufgehen in dem Begriff Neue Subjektivität, sind sie doch kennzeichnend für diese Ära, denn sie haben einige der damals gängigen poetologischen Überzeugungen in ihrer Arbeit konsequent umgesetzt. Es läßt sich an ihren Büchern ablesen, wie und mit welchen Folgen für die deutschsprachige Prosa der Autor und das Schreiben selbst zum Inhalt der Literatur wurden. Das führte bis zur sogenannten Selbsterfahrungsliteratur oder den Verständigungstexten, den wohl banalsten und kunstfernsten Produkten, die im Zeichen der Neuen Subjektivität entstanden. Wenn diese bei deutschen oder auch ausländischen Lesern nur wenig Gegenliebe fanden, muß das niemanden wundern. Es wurde vor allem nach der Authentizität eines Textes gefragt statt nach seiner Intensität. Anstelle der Suggestivität der Darstellung: die Sensibilität der Wahrnehmung. Daß die Schriftsteller nicht mehr die Produkte ihrer Phantasie, sondern ihr eigenes Ich zum Gegenstand der allgemeinen Aufmerksamkeit machten, befriedigte zwar gelegentlich manchen heimlichen Voyeurismus und einen offenbar unausrottbaren Hang zum Personenkult. Es sorgte aber zugleich dafür, daß die mit solchen Mitteln erfolgreichen Autoren jenen allzeit medienpräsenten Prominenten überraschend ähnlich wurden, die in der Öffentlichkeit vor allem ihre Person und nicht ihre Arbeit ausstellen.

Planspiele
Ulrich Woelk – Geschichten über Geschichte

>»Man kann alles erzählen,
>nur nicht sein wirkliches Leben.«
>Max Frisch
>*Stiller*

Die deutsche Literatur der siebziger und frühen achtziger Jahre ist nicht gerade arm an Leidensgeschichten. Das persönlichste, privateste Elend zu Papier zu bringen hatte Konjunktur. Dutzende von gerade eben Dreißigjährigen verfaßten erste Autobiographien – offenbar ohne Gespür für die Merkwürdigkeit eines solchen Unterfangens. Sie schütteten aller Welt ihr Herz aus, schrieben sich von der Seele, was je auf ihr gelastet hatte – offenbar ohne Gespür für die Aufdringlichkeit solcher Selbstentblößungen. Überdies fanden sie, von Karin Struck über Maria Erlenberger bis Svende Merian (um nun doch ein paar Namen zu nennen), renommierte Rezensenten, die sich tatsächlich bemühten, jenes Plappern und Plauschen über das eigene Leben als literarische Großtat auszugeben. Denn, so lautete ein Standardargument, mit der Schilderung ihres Unglücks übten die Schriftsteller Kritik an den Verhältnissen, die ein solches Unglück zuließen. Rückblickend drängt sich dagegen der Eindruck auf, daß diese Bücher in erster Linie die jeweiligen politischen Tagesthemen – Sozialismus, Feminismus, Antipsychiatrie, Selbstfindung, Ökologie – mit tränenseligen Schicksalsstorys begleiteten.

Das neue Genre bildete schnell stereotype Muster aus: So wurde oft geklagt über engstirnige Eltern, brachiale Lehrer oder verkorkste Partnerschaften, über eine Kindheit ohne Freuden in dumpfen Dörfern oder faden Provinznestern. Gern führte man auch das Innenleben der eigenen Familie als seelischen Elendsbezirk vor, dessen gutbürgerliche Fassade nur notdürftig aufrechterhalten werden konnte. Jahre nach der sogenannten Tendenzwende wurde der Elterngeneration wenigstens noch in Büchern die Hölle heiß gemacht: Abrechnungen mit Müttern ohne Mütterlichkeit (etwa in *Die Eisheiligen*, 1979, von Helga M. Novak) waren seltener als mit den Vätern, in deren Vergangenheit meist braune Flecken ausgemacht wurden: Bei Peter Henisch (*Die kleine Figur meines Vaters*, 1975) zum Beispiel oder bei Elisabeth Plessen (*Mitteilung an den Adel*, 1976), Ruth Rehmann (*Der Mann auf der Kanzel*, 1979), Sigfrid Gauch (*Vaterspuren*, 1979), Günter Seuren (*Abschied von einem Mörder*, 1980), Barbara Bronnen (*Die Tochter*, 1980), Jutta Schutting (*Der Vater*, 1980) oder – als Zeitporträt am vielschichtigsten – bei Christoph Meckel (*Suchbild*, 1980)[1]. Mitunter wurden die einschlägigen Themen eines nach dem anderen abgearbeitet, so von Brigitte Schwaiger, die dem Publikum erst ihre verfehlte Ehe darbot (*Wie kommt das Salz ins Meer*, 1977), dann die Kindheit in einer Kleinstadt voller Kleinbürger (*Mein spanisches Dorf*, 1978) und schließlich das durch wenig Verständnis geprägte Verhältnis zu ihrem Vater (*Lange Abwesenheit*, 1980).

Es war eine Zeit der autobiographischen Nabelschau und der wütenden Rückblicke, die Autoren zogen mit Vorliebe Bilanz und kamen regelmäßig zu dem Ergebnis, daß an ihren Beklemmungen vieles und viele Schuld trugen, die Eltern, der Ehepartner oder die Epoche, das politische System oder das soziale Milieu, nie aber der Autor selbst, der sich die Rolle des Opfer und des Leidtragenden vorbehielt. Welche Kluft solche Bücher beispielsweise von jenen Nadolnys trennt, der seine Helden immer mitverantwortlich macht für das eigene Schicksal, liegt auf der Hand. Glücklicherweise haben inzwischen manche jener frühzeitigen Memoiren-Schreiber ihre literarischen Anfänge weit hinter sich gelassen, doch ändert das nichts daran, daß sie, dem Kult um Authentizität in der Prosa anhängend, zahllose Leser enttäuschten und mit Mißtrauen der neueren deutschsprachigen Literatur gegenüber erfüllten.

Natürlich wäre es unsinnig, wollte man einen Autor nur deshalb kritisieren, weil er sein Leben zum Gegenstand seiner Arbeit macht. Literatur ist ohne autobiographische Elemente nicht denkbar, schließlich sind selbst die kühnsten Erfindungen oder Phantasien auf die eine oder andere Art mit den Erfahrungen ihres Urhebers verwoben. Es fragt sich allerdings, in welcher Weise ein Schriftsteller das Erlebte verwandelt bei der Übersetzung in Sprache. Darauf kommt es literarisch an – viel mehr als auf das, was er erlebt hat. Wer sich darauf beschränkt, wie es zu Zeiten der Neuen Subjektivität gang und gäbe war, den eigenen Familienzwist oder Liebeskummer so unmittelbar zu schildern, wie er ihm vor Augen steht, rundum authentisch und sensibel wie im Tagebuch, kommt über Banalitäten selten hinaus. Denn zum einen sind solche Erfahrungen, mag dem Autor sein Schicksal auch noch so bemerkenswert erscheinen, zutiefst alltäglich und bestenfalls literarischer Rohstoff. Zum anderen gehört es zu den Eigenheiten gerade autobiographischer Themen, daß sich ihre wesentlichen Dimensionen eben nicht unmittelbar, nicht unreflektiert erschließen.

Von Liebeskummer und Familienzwist erzählt auch Ulrich Woelk. Was seine Romane von den Büchern der beschriebenen Machart unterscheidet, ist zunächst einmal die fehlende Larmoyanz. Woelk will das Interesse seiner Leser wecken, nicht ihr Mitleid. Wenn er Unglück auf die Schultern seiner Figuren häuft, dann um zu beobachten, wie sie mit dieser Last fertig werden, und nicht, um das Publikum zur Anteilnahme an ihrem Los zu drängen. Auch er möchte Gefühle wecken, gewiß, aber durch virtuos gehandhabte literarische Mittel, nicht durch die mehr oder minder explizite Beteuerung, von dem in seinen Büchern geschilderten Unglück persönlich betroffen zu sein.

Hinzu kommt Woelks konstruktive Intelligenz. Entgegen anderslautenden Empfehlungen liefert er sich nicht mit Haut und Haar an den Stoff seines Buches aus, sondern verfügt über ihn. Er versucht nicht, Erlebtes nachzuzeichnen, sondern benutzt es allenfalls als Material für eine Handlung, zu deren Inszenierung er alle notwendigen Effekte und dramaturgischen Möglichkeiten einsetzt. Er will nicht – um noch einmal die literarischen Parolen der späten siebziger und frühen achtziger Jahre zu zitieren – authentisch schreiben, nicht appellieren, sich nicht ungeschützt und radikal subjektiv darstellen.[2] Er möchte vielmehr seine Geschichte so suggestiv, aber auch so klug wie möglich erzählen.

Es gelingt ihm, in seinen Romanen zu vereinen, was häufig als Gegensatz hingestellt wird: einerseits zu demonstrieren, daß bei seinen Helden von einer biographischen Einheit der Persönlichkeit keine Rede sein kann, und andererseits trotzdem prägnante und klar umrissene Figuren zu präsentieren, die den Leser miterleben lassen; einerseits zu zeigen, daß sich unser Zeitalter einer verbindlichen Deutung entzieht, und andererseits dennoch eine handlungsreiche, spannungsträchtige Geschichte zu entwickeln. Kurz: Er versteht es, die psychologischen und kosmologischen Implikationen des traditionellen Romans zu unterlaufen, ohne auf dessen Erzähltechniken verzichten zu müssen.

Schöne Aussichten

Ulrich Woelks Romanhelden haben im Leben einen Fensterplatz. Hineingeboren in die gesicherten Verhältnisse der Bundesrepublik, könnten sie sich zurücklehnen und die Aussicht genießen. Sie gehören einer Generation an, die in den sechziger Jahren aufwuchs und weder Diktatur, Krieg und Nachkrieg noch soziale Krisen oder auch nur ernste wirtschaftliche Sorgen kennengelernt hat. Das ist – sie wissen es – ein Glück, von dem der größte Teil der Menschheit nur träumen kann. Mit einem Wort: Sie leiden keine Not.

Aber dennoch leiden sie – und es wäre falsch, das als Wohlstandsneurose oder als Laune gelangweilter Luxusgeschöpfe abzutun. Wenn sie auch keine materiellen Ursachen für ihr Unbehagen angeben können, so hat es doch reale. Zwischen ihnen und ihrer Mitwelt herrscht eine Distanz, eine schwer erträgliche Fremdheit, die sie zwar erkennen, aber nur in seltenen Momenten überbrücken können. Immer wieder weist Woelk seinen Helden Frank Zweig (aus *Freigang*[3]) und Johannes Stirner (aus *Rückspiel*[4]) buchstäblich Fensterplätze zu, stellt oder setzt er sie vor geschlossene Glasscheiben[5], durch die sie sehen können, woran sie nicht teilhaben. Die Trennung ist gründlich und die Situation der Ausgegrenzten nicht eben angenehm: »Ich [war] allein im Haus, abends, als sich die Schwüle des Tages entlud«, so beginnt eine von Stirners prägenden Erinnerungen. »Ich hatte keine Angst vor Gewittern als Kind, die brandenden Luftmassen im Garten und der atembare Füllstoff der Räume waren Elemente ohne Gemeinsamkeit, kein Dialog der Mauern mit Wind und Regen, Prasseln draußen, Schweigen drinnen, das war meine Erfahrung, keine klappernden Läden, keine schlagenden Türen, die Geister blieben in ihren Gräbern, und wenn Blitz und Donner in die Zimmer drangen, waren sie Fremdkörper wie Schrifttafeln in einem Stummfilm. Wenn ich dennoch Angst hatte, als es regnete, blitzte und die Tropfen die Fensterscheibe herunterkrochen, wenn ich dennoch Angst hatte, war es nicht wegen des Unwetters, im Gegenteil, es war das Schweigen der Räume, die Stille, keine Geschäftigkeit aus der Küche, kein Gang auf der Treppe...« (*Rückspiel* S. 15)

Die Welt außerhalb der Glaswände ist alles andere als eine Idylle, darüber machen sich Zweig und Stirner keine Illusionen. Sie wissen, daß um sie herum Gewalten toben, die sowenig zu berechnen oder zu beherrschen sind wie das Wetter. Sich von ihnen fernzuhalten ist nur vernünftig. Doch den Rückzug in eine erträgliche Distanz bezahlen sie, so stellen sie nüchtern fest, mit hartnäckiger Erlebnisarmut und dem bedrückenden Gefühl des Ausgeschlossenseins. »Prasseln draußen, Schweigen drinnen«, das ist ihre Erfahrung als Sprößlinge einer wohlhabenden westlichen Demokratie am Ende des zwanzigsten Jahrhunderts – und obwohl Woelk seine Hauptfiguren keineswegs zum sozialen oder generationsspezifischen Typus stilisiert, sondern ihre individuellen Züge betont, spürt der Leser gleichwohl, daß sie mit ihrem Problem nicht allein stehen.

Frank Zweig und Johannes Stirner, aber auch das Personal aus Woelks erstem Theaterstück *Tod Liebe Verklärung*, fanden nie die rechte Gelegenheit, sich ins Getümmel jenseits ihrer erlebnisundurchlässigen Fensterfronten zu stürzen. An Versuchen dazu haben sie es nicht fehlen lassen: So bemühte sich Zweig als Nachwuchsdramatiker aus der vorgezeichneten Karriere als Physiker auszusteigen; so erprobte sich Stirner als Hüttendorf-Anarcho; und so starteten die Figuren aus *Tod Liebe Verklärung* als ziemlich idealistische Jungfilmer. Doch allesamt verfolgte sie bei ihren Unternehmungen ein feiner, aber durchdringender Zweifel, und so blieben ihre Aufbrüche halbherzig und letztlich folgenlos. Es fehlt ihnen, das müssen sie sich eingestehen, das Talent zum Glauben – an irgendeine Idee oder Person; sie haben, wie es im Jargon heißt, kein Projekt. Sie lassen sich auf nichts ganz und gar ein und müssen sich deshalb nicht wundern, wenn sie nirgends ganz und gar beteiligt sind: »Dabeisein ohne dazuzugehören« (*Freigang* S.121), auf diese Formel bringt Zweig die Lage.

Ausgesucht haben sie sich diese Rolle nicht, und gern würden sie sie gelegentlich abstreifen. Doch die allgemeine Situation ist nicht danach und ihre innere Verfassung auch nicht. Jedesmal wenn sie mit Überzeugungstätern konfrontiert sind – wenn Zweig mit Flugblattextern oder Theaterbesessenen debattiert und wenn Stirner seinen ehemals rebellischen Bruder oder den Altnazi Kulisch ausfragt –, lassen sie neben ihrem grundlegenden Unverständnis auch Züge von Neid erkennen. Die Gewißheiten der anderen sind für sie verführerisch, aber unerreichbar. Denn sie wuchsen auf im Windschatten der Studentenbewegung und erlebten, wie in rascher Folge zunächst die etablierte Ordnung und kurz darauf die Gegner dieser Ordnung ihre Glaubwürdigkeit verloren. Nicht nur die Ideologie des Bestehenden, sondern auch die der Revolutionäre war desavouiert, bevor diese Nachgeborenen an den Start gingen und sich für ihren Weg zu entscheiden hatten.

Das war keine Katastrophe für sie, aber doch eine Erfahrung, die für sie die Brüche in den umfassenden Welt- oder Lebensdeutungen stärker hervortreten ließ als deren sinnstiftende Kraft. Sie haben sich ihre ausgeprägte Skepsis nicht verdient, sie wurde ihnen vielmehr in die Wiege gelegt – aber sie ist gleichwohl historisch fundiert. Sie sind Kinder einer glaubenslosen Zeit, und ihre Zeit manifestiert sich in ihnen daher vor allem negativ: in ihrer Unfähigkeit zum Engagement, in ihrer Unruhe, ihrer ständigen Hetze ohne klares Ziel und in der Spurlosigkeit, mit der die Dinge an ihnen vorüberziehen. Die Kontingenz wurde für sie zur einzigen Gewißheit, und sie verhalten sich entsprechend: Sie sind überall dabei, ohne wirklich dazuzugehören, ihr Leben ist weitgehend frei von Zwängen, aber zugleich auch merkwürdig ungreifbar und flüchtig.[6]

Kein Wunder also, wenn Frank Zweig einem solch gestaltlosen Dasein die strengen Gesetze der Physik zu unterlegen versucht (»...das Bedürfnis, das Konzept der Widerspruchsfreiheit auch hier fruchtbar werden zu lassen«, *Freigang* S.29) und Johannes Stirner einen absurden Aufwand treibt, um sich wenigstens über ein winziges historisches Detail gleichsam stellvertretend Klarheit zu verschaffen – wer will, kann in beidem einen letzten Rest jener modernen Sehnsucht nach einem ordnenden Ganzen sehen. Die Notwendigkeit jedoch, mit der die zwei schließlich scheitern, verstärkt den Verdacht, daß es nicht Charakterschwäche, individuelles Versagen oder Zufall war, was ihnen jenen merkwürdigen Platz hinterm Fenster zugewiesen hat, sondern die Logik der geschichtlichen Verhältnisse.

Die Augenblicke, in denen Woelks Helden schließlich ein Einverständnis mit ihrer Situation erleben, sind geprägt vom Rausch – obwohl die Welt dieser Romane sonst eher nachdenkliche und skeptische als karnevaleske Züge[7] trägt. In beiden Fällen sind es großzügiger Alkoholkonsum und Übermüdung, in *Rückspiel* unterstützt durch einige Prisen Kokain, die ihnen auf die Sprünge helfen. Ihr Verstand, der heißläuft auf der Suche nach umfassenden Ordnungsprinzipien des Denkens (Zweig) oder der Geschichte (Stirner), wird ausgehebelt, und sie überlassen sich für Momente ihren Sinnen. Bezeichnenderweise folgt auf die dann aufblitzenden Erkenntnisse (»Es gibt kein zentrales Motiv. Nichts gehört in die Mitte«, *Freigang* S.209; »Alles falsch, kein Wort, das wahr wäre«, *Rückspiel* S.151) die allmähliche Rekonvaleszenz der Helden. Da sie sich von ihrer alten Hoffnung auf einen zentralen Ordnungsgedanken endlich verabschieden, können sie nun ihre verschiedenen, einander widerstrebenden Einsichten und Erfahrungen nebeneinander gelten lassen: Zweig, der Rationalist, lernt die Undurchdringlichkeit der Gefühlswelt und seiner eigenen literarischen Versuche zu akzeptieren, und Stirner, dessen reichlich idealtypisches Bild der deutschen Nachkriegsgeschichte zusammenbricht, entdeckt hinter der historischen Struktur, nach der er suchte, die Unausdeutbarkeit und Vielfalt der Geschichte eines jeden Einzelnen. Doch auch wenn die beiden diesen Verlust der Einheitsidee akzeptieren, verbindet sich damit für sie nicht der Beginn irgendeiner postmodernen Heiterkeit. Sie erkennen lediglich an, was nicht zu ändern ist. Im Gegensatz zu vielen einschlägigen Theoretikern hebt Woelk in seinen Panoramen postmoderner Zeiten eher deren bedrückende Seiten hervor.

Selbstanzeige

»Ich habe meinen Vater umgebracht.« Woelks *Freigang* beginnt dramatisch, ein Mörder gesteht seine Tat. Doch schon die folgenden Sätze, »Die Idee kam im Suff. (Ich schwöre es.)«, wecken erste Zweifel: Wer sein Verbrechen unaufgefordert beschwört, exponiert sein Bekenntnis derart, daß es an Glaubwürdigkeit eher verliert als gewinnt. Wenn Woelks Held Zweig dann aber von sich sagt, er werde seit seiner »Einlieferung [...] nicht müde zu gestehen«, er gestehe den Ärzten und Pflegern, gestehe »hartnäckig, verlange ein ordentliches Verfahren«, aber schließlich feststellen muß: »Mein Geständnis: Alle zeigen sich interessiert, doch die Art, mit der sie darüber hinweggehen, befremdet mich, macht mich von Zeit zu Zeit mutlos« (*Freigang* S.9-10), dann wird die Unglaubwürdigkeit dieser Selbstanzeige und des Anzeigenden unübersehbar. Zweig ist, wie Oskar Matzerath, Insasse einer Heil- und Pflegeanstalt, und offenbar billigen sowohl Richter wie Ärzte seinen Worten nur beschränkte Glaubwürdigkeit zu. Jeder Leser, der Zweigs Bericht nach einem solchen Auftakt noch vorbehaltlos folgt, tut es auf eigene Gefahr.

Schon mit dem Beginn des Romans erreicht Woelk so zweierlei: Er stellt eine Behauptung auf und unterminiert sie im selben Atemzug, er eröffnet sein Buch effektvoll mit einem Paukenschlag und stellt diese Eröffnung umgehend wieder in Frage. Von Anfang an läßt er mithin eine Atmosphäre der Unsicherheit entstehen, in der nichts bleibt, was es zunächst war, in der hinter jeder Aussage mehr steckt als ihre wörtliche Bedeutung. Der Kontrast zu den autobiographischen Autoren der Neuen Subjektivität könnte größer kaum sein: Während es ihnen um die Authentizität ihrer Texte zu tun war, während sie alle Tatsachen so direkt wie möglich wiedergaben und für die Aufrichtigkeit ihrer Berichte persönlich einstehen wollten, legt Woelk es darauf an, die Skepsis seines Publikums zu wecken. Er spiegelt niemals vor, eine wahre Geschichte zu erzählen, sondern er provoziert gezielt den Argwohn seiner Leser – und macht sie so dafür verantwortlich, was sie ihm glauben und was sie mit Vorsicht betrachten. Er tritt ihnen gleichsam auf Augenhöhe gegenüber, nicht als Autorität, die Respekt verlangt kraft unanfechtbarer Gewißheiten oder bedrängender Leidenserfahrungen, sondern als ein Komplize, der sie in ein trick- und geistreiches Kommunikationsspiel hineinzieht.

Wie die zahllosen Ich-Erzähler der Neuen Subjektivität bemüht sich auch Zweig, ausgehend von seinem Geständnis seine Vergangenheit zu rekonstruieren. Doch in *Freigang* liegt die Betonung auf »konstruieren«: Woelk behauptet nicht, eine verbindliche Biographie aufzurollen, sondern er bietet immer wieder andere Lesarten derselben Biographie an. Sogar für Zweig selbst wird das eigene Leben zur Verfügungsmasse, deren Deutung er seinem jeweiligen Interesse unterwirft. So erwägt er anfangs, um sich seinem Arzt Früger als Mörder zu präsentieren, seine frühen literarischen Versuche zu psychologischen Indizien zu erklären: »Ich erdachte Welten aus Ruinen und geheimen Gängen, in denen es mir besser gefiel als in der Wirklichkeit. Das müßte doch etwas für ihn [Früger] sein: Bereits in der Kindheit angelegter Kampf zwischen Realität und eigener Scheinwelt, möglicherweise Untrennbarkeit beider, dadurch Realitätsverlust« (*Freigang* S.12). Einige Zeit später beschreibt er sich als Gefangener seines naturwissenschaftlichen Talents und der entsprechenden Karrierepläne seines Vaters: »Seit Jahren arbeite ich an der Durchleuchtung des Vergangenen, seit Jahren laufe ich rückwärts Sturm, kämpfe gegen mein stets belohntes Können, habe keine Idee für mein Leben, nur das Wissen um die Unzulänglichkeit der väterlichen Entwürfe; seit Jahren ist das Geschehene mein Geschehen, ist die Vergangenheit meine Zukunft« (*Freigang* S.159). Gegen Ende jedoch behauptet er kategorisch: »Ich habe kein krankhaft gestörtes Verhältnis zu meinem Vater; nie gehabt.« (*Freigang* S.205)

Aber auch Früger und sein Kollege Dr. Conradi versuchen sich als Biographen Zweigs. Sie zeichnen die Entwicklungslinien seines Lebens so, wie sie sie für ihre psychologischen Erklärungsmuster brauchen. Conradi ist schnell bei der Hand mit einer Krankengeschichte von der Stange, die aus Zweig ein Opfer der »Mechanismen der kleinfamiliären Unterdrückung« (*Freigang* S.58) werden lassen – was Zweig empört von sich weist. Früger gibt sich mehr Mühe und weist seinen rationalistischen Patienten darauf hin, daß der Streit mit seiner gefühlsbetonten Freundin Nina ihm »die Grenzen [seines] Realitätsbegriffes vorgeführt« (*Freigang* S.109) habe und ihn schließlich zusammenbrechen ließ. Eine Theorie, mit der sich Zweig aber ebenfalls nicht anfreunden mag.

Keine dieser Thesen und Antithesen wird von dem Roman letztlich bestätigt oder widerlegt. Sie alle bleiben nebeneinander stehen, dem Leser zur Deutung überlassen. Genauso wie die Frage, ob der Held nun ein Mörder ist oder nicht. Sie wird erst negativ, dann positiv beantwortet – und danach einfach beiseite geschoben: Während Zweig sich zunächst zu seiner Überraschung wie ein unbescholtener Patient im Sanatorium frei bewegen kann, setzt man ihn später fest (»Früger zuckte mit den Schultern: Sie sind ein Mörder.« *Freigang* S.204), bevor es dann schließlich heißt: »Die Staatsanwaltschaft hat kein Interesse an einem Verfahren« (*Freigang* S.233) und er das Krankenhaus verlassen darf. Woelk schneidert seinem Helden Schicksale wie Kleider zurecht und fordert den Leser unter der Hand auf, selbst zu entscheiden, welches davon Zweig am besten steht.

Man kann *Freigang* mithin auch als Gegenstück zu den einfältigen Lebensbeschreibungen der Neuen Subjektivität lesen. Woelk demonstriert an Zweig, daß es keine gültige Biographie gibt, da die Vergangenheit eines jeden Menschen in vielfältige Aspekte und sich widersprechende Tendenzen zerfällt, die unmöglich auf einen schlüssigen Nenner gebracht werden können. Die einzelnen Stationen seiner Entwicklung sprechen keineswegs für sich, sondern lassen sich nur von ihm selbst oder von anderen zum Sprechen bringen. Die Geschichte eines Lebens ergibt sich nicht aus der Chronik von Daten und Fakten, sondern muß von Menschen erzählt werden, die ihm dabei ihre Deutung unterschieben – und diese Deutung fällt je nach Standpunkt und Interesse anders aus. Der Versuch, die eigene Vita authentisch und objektiv zu schildern, wird also nicht allein durch die hocheffizienten Mechanismen der unbewußten Selbstzensur verhindert, vielmehr ist eine solche Objektivität grundsätzlich unerreichbar.

Ihab Hassan, einer der Wegbereiter postmoderner Theoriebildung, geht sogar so weit, den Begriff des Faktums ganz in Frage zu stellen. In seinen Augen gibt es keine Tatsachen, sondern immer nur Interpretationen von Tatsachen; Interpretationen, die jederzeit durch andere Interpretationen bestritten werden können, die jene Tatsachen dann in einem völlig anderen Licht erscheinen lassen.[8] Eine Ansicht, der Zweig als leidenschaftlicher Physiker zu Beginn des Romans sicher widersprochen hätte: »Realität kann man nicht analysieren, sie ist. Einsteins Gleichungen entziehen sich psychologischer Interpretationskunst« (*Freigang* S.22-23). Doch eben dieses rationalistische System (»Gut? Schlecht? entgegnete ich. Es gibt Unterscheidungen, die für einen Physiker keine sind, weil die Differenz zwischen beiden Zuständen keiner objektiven Messung zugänglich ist.« *Freigang* S.15) läßt Woelk zusammenbrechen und gibt damit drastisch zu verstehen, was sein Held übersieht: daß die physikalische Realität nur einen Aspekt unserer Welt ausmacht, der uns gewöhnlich wenig berührt, und daß wir andere Aspekte, die uns weit mehr herausfordern, ohne psychologische Interpretationsmühen unmöglich bewältigen können.

In welchem Maße sich Zweigs Denkweise schließlich ändert, zeigt sein allmählicher Sinneswandel den eigenen literarischen Versuchen gegenüber. Heißt es anfangs apodiktisch: »Schreiben, sagte ich, ist auf Dauer keine sinnvolle Beschäftigung für einen Physiker, weil sich die Präzision der Sprache nicht beliebig steigern läßt« (*Freigang* S.14), so begründet er seine Abwehr etwas später immerhin schon mit einer psychologischen Argumentation: »Geschriebenes ist die ungeeignetste aller Formen, sich mitzuteilen; man überlegt zu lange an jedem Wort herum, also man lügt« (*Freigang* S.95). Doch dann verfaßt er gegen Ende seines Aufenthalts im Sanatorium allen gegenteiligen Beteuerungen zum Trotz doch wieder eine Erzählung (*Freigang* S.211-231). Sie nimmt zahlreiche Motive aus seiner Vergangenheit und Krankengeschichte – und damit aus dem Roman – auf, bemüht sich aber nicht, sie stringent zu deuten, sondern versucht eher, sie noch weiter zu verrätseln. Sein Text erinnert an ein Vexierbild, das offen ist für die unterschiedlichsten Sichtweisen – und wird gerade deshalb zu einem adäquaten Modell von Zweigs Situation.

Erfundene Geschichte

Wenn sich schon das Vorleben eines einzelnen Menschen der konsistenten Deutung entzieht, dann gilt das erst recht für die Vergangenheit ganzer sozialer Gruppen. Was für den Biographen zutrifft, trifft erst recht für die Historiographen zu. Der Geschichtsschreiber vermag zwar isolierte Daten und Fakten wissenschaftlich exakt zu benennen und zu analysieren, doch die Verknüpfung dieser Daten zu großen Zusammenhängen wird immer auch Interpretation sein, die einem interessebezogenen Perspektivismus unterliegt. Mehr noch: Schon die Auswahl der Daten aus der amorphen Masse des Geschehenen ist ohne hermeneutische Vorannahmen nicht denkbar – diese Auswahl aber präjudiziert bereits die Verknüpfungen, die zwischen den einzelnen Daten möglich werden. »Es ist öfter gesagt worden«, heißt es in dem Buch *Metahistory* des amerikanischen Geschichtstheoretikers Hayden White, »das Ziel des Historikers sei es, die Vergangenheit zu erklären, indem er die ›Geschichten‹, die in den Chroniken verborgen liegen, ›findet‹, ›erkennt‹ oder ›entdeckt‹, und der Unterschied zwischen ›Historie‹ und ›Fiktion‹ bestehe darin, daß der Historiker seine Geschichten ›finde‹, während z. B. der Romancier die seinen ›*er*finde‹.

Diese Vorstellung verschleiert jedoch, in welchem Ausmaß die ›Erfindung‹ auch die Arbeit des Historikers prägt. Ein und dasselbe Ereignis kann als jeweils verschieden bewerteter Bestandteil in unterschiedlichen historischen Geschichten fungieren, je nach der Rolle, die man ihm in einer spezifischen motivischen Kennzeichnung der Gruppe, zu der es gehört, zuweist.«[9] Das Bewußtsein für die Grenzen der Historiographie und ihrer Faktizitätsansprüche schärft sich naturgemäß in Zeiten, in denen die Geschichtsphilosophien fragwürdig geworden sind. Je weiter der Zweifel an der Erkennbarkeit geschichtlicher Gesetzmäßigkeiten fortschreitet, desto nachdrücklicher wird der Historiker auf die konstruktiven, ja ästhetischen Anteile seiner Arbeit verwiesen.

In diesem Sinne erzählt Ulrich Woelk in seinem Roman *Rückspiel* von der zunehmenden Ernüchterung eines (Gelegenheits-)Historikers und (Familien-)Geschichtsschreibers. Sein Held Stirner reist im Herbst 1989 nach Berlin, angeblich um die Hintergründe eines Eklats auf der Hochzeit seines Bruders zu klären. Später stellt sich heraus, daß ein beruflicher Fehlschlag und die Suche nach einem persönlichen Neubeginn an seinem Entschluß zur Abreise zumindest beteiligt waren. In der ersten Woche seines Aufenthalts fügt sich das familienhistorische Puzzle zu einem recht konventionellen Bild der Nachkriegsgeschichte: Ein Achtzigjähriger entpuppt sich als ehemaliger überzeugter Nazi; ein Angehöriger der Flakhelfergeneration erweist sich als Leistungsethiker und neigt dazu, die Verbrechen der deutschen Vergangenheit vergessen zu wollen; ein früherer Mitstreiter der Studentenbewegung sucht den politischen Konflikt mit diesen beiden Vätertypen, während sich sein jüngerer Bruder wie ein Yuppie ausnimmt und solchen Auseinandersetzungen gleichgültig oder verdrossen zuschaut.

In einem zweiten Durchgang jedoch zerfällt Stirner diese allzu pauschale Geschichtskonstruktion unter den Händen. Er muß einsehen, daß ein und dasselbe Ereignis, wie Hayden White sagt, »als jeweils verschieden bewerteter Bestandteil in unterschiedlichen historischen Geschichten fungieren« kann. Die Lebensstationen aller Beteiligten erweisen sich – wie die Vergangenheit Frank Zweigs – als vielfältig erzähl- und interpretierbar. Statt ihrer politischen Motive treten bei veränderter Betrachtung vor allem ihre emotionalen Antriebe hervor, und die sind, im Kontrast zu der skizzierten Generationsfolge, nicht durch Gegensätze, sondern durch die Wiederkehr des Gleichen geprägt: Im Werdegang des Altnazis, des Achtundsechzigers und seines yuppiehaften Bruders wurden wesentliche Weichen durch die Zuneigung zu Frauen gestellt, die jeweils andere Männer liebten. Das ist eine alte Geschichte, unbestritten, doch bleibt sie immer neu – und eben dieser Rückgriff auf ein oft benutztes literarisches Muster repräsentiert die konstanten Faktoren in einer Vergangenheit, die im ersten Teil des Romans nur aus permanenten Umbrüchen zu bestehen schien.

Die Komplexität und Widersprüchlichkeit historischer Abläufe – und damit ihre Unausdeutbarkeit – werden auch dort augenfällig, wo Woelk Stirners familiengeschichtliche Recherche ironisch mit der weltgeschichtlichen Wende vom Herbst 1989 konfrontiert. Während der Hochzeit zu Beginn des Romans, also während des Festes anläßlich einer *privaten* Vereinigung, kreisen die Gespräche der Gäste vor allem um politische Themen. Im zweiten Teil des Buches jedoch, parallel zur *politischen* (Wieder-) Vereinigung Deutschlands, drehen sich die Interessen der Figuren in erster Linie um ihre privaten Belange. Öffentliche und individuelle Impulse durchdringen und widerstreiten einander gleichermaßen – und sperren sich so gegen jede verbindliche gemeinsame Deutung.

Stirner, der zu radikalen Antworten neigt, verwirft demgemäß jenes überkommene Geschichtsbild, das die Vergangenheit gern auf Herrschergenealogien und militärische Konflikte reduziert, in Bausch und Bogen: »Kriege, sage ich, sind nichts als Geschichtskonstruktionen, damit sich die

Lehrbücher in Kapitel unterteilen lassen. [...] Gefechte, Schlachten, Siege und Niederlagen, all das hat es nie gegeben, das sind militärische Begriffserfindungen, reines Generalstabsagreement quer durch alle Nationen, um das umzulügen, was es wirklich gegeben hat: Berufsbarbaren und unendliches Leid« (*Rückspiel* S.65-66). Eine waghalsig klingende These, für die er sich jedoch Rückendeckung bei Paul Valéry holen könnte, der aus seiner skeptischen Haltung gegenüber der üblichen politischen Geschichtsschreibung nie einen Hehl gemacht hat. Das »sogenannte ›historische Denken‹« ist nach Valéry eine »schiere Phantasmagorie«[10], denn den »so genannten historischen Ereignissen« sei eine »im allgemeinen unendlich geringere, extrem weniger universelle Bedeutung« zuzubilligen als den »normalen funktionellen Vorkommnissen«[11]. Auch er fragte sich deshalb: »Krieg, Sieg, Niederlage, Nation usw. – hat das tragfähige Bedeutungen?«[12]

Valéry begründete seine Kritik – wie Hayden White, der sich auf ihn beruft[13] – unter anderem mit der unbegrenzten Komplexität geschichtlicher Vorgänge, der keine noch so komplexe Interpretation gewachsen ist: »Die Historiker wissen nicht«, notiert er mit Blick auf die Geschichtsschreibung seiner Zeit, »daß es ohne alle Änderung am Material unendlich viele Arten der Betrachtung, Verbindung, Einordnung und Aufzählung gibt.«[14] Anstatt diese unauslotbare, beängstigende Vieldeutigkeit ihres Arbeitsgebietes anzuerkennen, seien sie noch immer auf der Suche nach definitiven, als faktisch geltenden Verknüpfungen historischer Ereignisse. Sie stutzen die Vergangenheit in seinen Augen damit auf menschliche Verstandeskategorien zurecht, modellieren sie nach anthropomorphen Kausalitätsbedürfnissen. Spöttisch schreibt er: »Geschichte ist das, was vorgestellt oder zusammengeholt und auf eine und nur eine arithmetische oder chronologische Reihe gebracht werden muß – damit bestimmte Phänomene [...] darin ihre *pauschale Ursache* finden – das heißt gemäß dem pauschalen Kausalitätsmodell (post hoc ergo propter hoc), wie es von unserem Gedächtnis oder unserer unmittelbaren persönlichen Erfahrung angeboten wird. Jede Verfeinerung des Kausalitätsbegriffs wirkt sich also auf die Geschichtsschreibung aus. Wird *heute* ein Phänomen von der Physik verworfen, so verschwindet dieses Phänomen aus der Geschichte.«[15]

Valérys Gedanke (der Frank Zweig, dem zweifelnden Physiker, gewiß nicht nur wegen des letzten Satzes gefiele) wirft auch ein bezeichnendes Licht auf Stirners Probleme, seine Geschichte zu erzählen – und damit auf die Struktur von Woelks Roman. Stirner berichtet keineswegs linear, immer wieder schweift er ab, wechselt die Zeitebenen, springt von einer Erinnerung zur anderen oder stellt Bezüge zwischen den unterschiedlichsten Themen her. Die Struktur des Buches unterläuft so jede eindeutige Chronologie, jede plane Kausalität. Da die Geschichte für Stirner ein unübersehbares, mittelpunktloses Netzwerk von Ereignissen darstellt, ist es ihm unmöglich, seine eigene Teilgeschichte aus einer zentralen Perspektive aufzurollen. Jede Tatsache kann sich in seinen Augen mit jeder anderen verknüpfen, noch das fernste Erlebnis Einfluß haben auf die Gegenwart. Folglich gibt es keinen bindenden Anfang einer Geschichte und kein klares Ende: »Es kommt mir vor, als könne man keine Geschichte erzählen, ohne gleich ein ganzes Leben zu erzählen, und nicht nur eins, alle.« (*Rückspiel* S. 194-195)

»Immer Gründe, Gründe, Gründe!«

Die zwei Romane Woelks handeln von Recherchen: Zweig spürt dem eigenen Leben nach, Stirner der Familiengeschichte – und auch in dem Stück *Tod Liebe Verklärung* tritt ein Mann auf, der sich Gedanken über einen kleinen Fetzen Vergangenheit macht, ein paar Stunden, die seinem Gedächtnis nach üppigem Alkoholgenuß verlorengingen: »Da war doch was?«[16] Während dieser sich jedoch von einem

131

Freund bald von seiner Fährte abbringen läßt, sind die beiden Romanhelden hartnäckiger. Sie erforschen die Vergangenheit, obwohl ihre Freundinnen heftigen Widerwillen dagegen zeigen: »Warum brauchst du denn immer Gründe? Wie ich das hasse! Immer Gründe, Gründe, Gründe!« (*Freigang* S.188), muß sich Zweig von Nina sagen lassen; und Lucca fragt Stirner wieder und wieder, bis sie sich von ihm trennt: »Was hat man denn davon, solchen Leuten nachzuspüren, da steckst du dein Leben in was, was doch längst tot ist.« (*Rückspiel* S.171)

Tatsächlich erweisen sich die Recherchen beider als vergeblich, wenn auch nicht als ergebnislos. Beide erfahren am eigenen Leib, worüber sich zumindest Stirner schon zu Anfang klar war – daß Gewißheit über die Geschichte, sei es die eigene Biographie oder die Vergangenheit anderer, nicht zu haben ist. Mit diesem Resultat vor Augen bekommen die Proteste ihrer Partnerinnen, die zunächst wie leichtfertige Plädoyers für ein lebensgeschichtliches Sichtreibenlassen erschienen, einen anderen Klang. Sie wirken wie Mahnungen, über der Suche nach schimärenhaften historischen Ursachen nicht blind zu werden für die Unberechenbarkeit der Gegenwart, wirken wie Hinweise auf Valérys Warnung, sich nicht von der Geschichte daran hindern zu lassen, »*das Gegenwärtige originell zu sehen* – unableitbar.«[17]

In seinem Roman *Das Grau der Karolinen* (1986) entwirft Klaus Modick eine ähnliche Konstellation. Die Hauptfigur, der Graphiker Michael Jessen, bemüht sich, die Herkunft eines unbekannten, beunruhigenden Gemäldes zu ermitteln. Seine Freundin Kathie, die von Modick als attraktive, aber – wie könnte es anders sein – reichlich oberflächliche Werbetexterin beschrieben wird, steht diesem Bestreben kopfschüttelnd und mit zunehmender Ungeduld gegenüber. Sie predigt statt dessen, erkennt Jessen, das zweifelhafte »Glück des Nichtfragens. Das Glück des Nichtwissens. Nichtwissenwollens«[18]. So ist es keine allzu große Überraschung, wenn sich Jessen bald von ihr trennt zugunsten einer weniger hübschen, aber naturgemäß gedankenreichen Kunsthistorikerin, die ihn bei seiner Suche energisch unterstützt. Ihre gemeinsamen Nachforschungen werden von einem Erfolg gekrönt, der die transatlantische Kunstwelt erschüttert – und der zugleich von einem totalen Mißerfolg kaum zu unterscheiden ist.

Modicks Buch wurde nach seinem Erscheinen oft als Beispiel für die literarische Postmoderne in Anspruch genommen.[19] Tatsächlich zeigt es in seiner Zitierfreude wie in der Vergeblichkeit der geschilderten Recherche eine enge Verwandtschaft zu einigen postmodernen Romanen. Doch die von Modick eingeflochtenen ästhetischen Ideen, von Goethes Farbenlehre bis zu Benjamins Kunsttheorie, sind eher vormoderner oder moderner Herkunft. Und sein Verhältnis zur Geschichte, wie es von Kathie ex negativo verkörpert wird, bleibt bis in die Wortwahl hinein im Horizont jenes historischen Aufklärungsanspruchs, der die deutsche Nachkriegsliteratur so nachhaltig prägte (und wie ihn etwa Alexander und Margarete Mitscherlich in ihrem Essay *Über die Unfähigkeit zu trauern*, 1967, aus psychoanalytischer Sicht exemplarisch formulierten). Vor dem Hintergrund der deutschen Verbrechen während der Zeit des Nationalsozialismus war und ist jenes »Glück des Nichtfragens« oder des »Nichtwissenwollens« *politisch* höchst verdächtig – und wurde von den Schriftstellern der Nachkriegsjahrzehnte zu Recht angegriffen.

Welche ambivalenten Ergebnisse ein solch analytischer Aufklärungswille dagegen im Hinblick auf Kunstwerke zutage fördert, übersieht Modicks Romanheld. Jessen kann zwar alle Fakten über die Entstehung des Bildes ausfindig machen, doch kommt er damit den Gründen für dessen Schönheit und bedrohlichen Reiz nicht einen Schritt näher. Im Gegenteil: Die Ausstrahlung des Gemäldes scheint sich durch den Ruhm, der ihm durch Jessens Bemühungen zuteil wird, spürbar zu verringern. Leider versäumt Modick die Gelegenheit, die von ihm als so unbedarft hingestellte

Kathie am Ende wenigstens andeutungsweise zu rehabilitieren. Sie könnte für das »Glück des Nichtfragens« und »Nichtwissens« angesichts eines Kunstwerkes bessere Argumente vorbringen, als der Autor sie ihr vergönnt.

Auch Woelk nimmt nicht Partei für Nina und Lucca, sondern zeigt, wie hilflos sie durch ihre mangelnde Bereitschaft werden, möglichen Begründungszusammenhängen im eigenen Leben nachzugehen. Nina ist unfähig, gezielt zu studieren oder ein Buch auszulesen, und hat keine Chance, sich über das subtile »Gehorsamkeitstraining« (*Freigang* S.114) ihres Verführers klarzuwerden. Lucca versäumt es, trotz ihrer offenkundigen seelischen Probleme, das angespannte Verhältnis zu ihrem Vater (*Rückspiel* S.228-235) zu durchleuchten. Doch andererseits zeigt Woelk in aller Deutlichkeit, wie Zweig und Stirner parallel dazu gerade durch ihre Fixiertheit auf rationale oder historische Kausalität scheitern. Kurz: Er bietet, anders als Modick, seinen Lesern keine positiven Helden, keine Vorbilder an. Alle Figuren sind bei ihm von Ambivalenzen durchzogen und taugen nicht zur Identifikation.

Im Scheitern seiner erklärungsfixierten Hauptfiguren bekundet sich jedoch nicht eine heimliche Feindschaft gegenüber dem erkenntnistheoretischen Selbstbewußtsein der Aufklärung – wie es Romanen der Postmoderne oder gar ihren Autoren häufig unterstellt wird –, sondern lediglich eine ausgeprägt Empfindsamkeit für deren Grenzen und Dialektik. Der Nutzen aufklärerischen Denkens wird von Woelk ebenso vorgeführt wie dessen impliziten Gefahren – zum Beispiel in einer kleinen Szene, die Zweig und Nina des Nachts mit einer unbekannten, bedrohlichen Geräuschkulisse konfrontiert. Beide versuchen auf ihre Weise mit der aufkeimenden Furcht fertig zu werden: »Wieder nimmt Nina meine Hand, was nicht hilft. Meine Unfähigkeit, die Angst mit ihr zu teilen. [...] Ich betäube mich mit Erklärungsversuchen. Gefühllos liegt meine Hand in ihrer, schwitzt« (*Freigang* S.138-139). Verunsichert sind beide, denn die Ursache des Krachs läßt sich zunächst nicht ausmachen. Doch während sich Zweig bei seiner Suche nach der Geräuschquelle isoliert, versucht Nina, in einer verständlichen menschlichen Reaktion, Beistand zu erhalten und zugleich zu leisten. In ein derart vorteilhaftes Licht, wie Woelk es nicht nur bei dieser Gelegenheit auf Nina fallen läßt, rückt Modick seine Kathie bedauerlicherweise nie.

Die Schnur voller Knoten

Vor dem hier skizzierten intellektuellen Hintergrund nehmen sich die meisten autobiographischen Produkte der Neuen Subjektivität in mehrfacher Hinsicht naiv aus. Es ist nicht allein die Einfalt, mit der die Autoren in ihren Büchern aller unbewußten Selbstzensur zum Trotz letztgültige Begründungen für ihre intimsten Leiden zu liefern meinten, es ist nicht bloß die Schlichtheit, mit der sie ihre eigene Biographie oder die ihrer Eltern eindeutig darstellen zu können glaubten, und auch nicht nur die Einseitigkeit, mit der sie die Vergangenheit und das Vorleben ihrer Väter auf deren politische Aspekte reduzierten und verdammten. Hinzu kommt die Ungeniertheit, mit der sie das spezifisch historische Aufklärungspathos der deutschen Nachkriegsliteratur durch ebenso end- wie gedankenlose Repetition zum Gemeinplatz herabwürdigten, statt – wie es etwa Max Frisch schon früh tat – dessen Grenzen zu erkunden.

Es darf niemanden überraschen, wenn solche Bücher auf einigermaßen urteilsfähige Leser nur geringe Anziehungskraft ausübten. Und da diese Bücher von etlichen Kritikern als bedeutende Werke der deutschen Literatur gerühmt wurden, sollte sich niemand wundern, wenn sich jene urteilsfähigen Leser inzwischen mehr und mehr für ausländische Autoren zu interessieren beginnen, die selbst in persönlichsten Geschichten keinen obskuren Authentizitätsvorstellungen das Wort reden. So zum Beispiel für die sechsundzwan-

zigjährige Engländerin Jeanette Winterson, in deren auto-
biographischem Debüt *Orangen sind nicht die einzige Frucht*
(1985, dt.1993) sich Passagen wie die folgende finden:
»Natürlich ist das nicht die ganze Geschichte, aber so ist das
nun einmal mit Geschichten; wir machen sie zu dem, was
wir wollen. Es ist eine Möglichkeit, das Universum zu
erklären und es gleichzeitig unerklärt zu lassen, es ist eine
Möglichkeit, alles lebendig zu halten und es nicht in die Zeit
einzusperren wie in eine Schachtel. Jeder, der eine Geschichte erzählt, erzählt sie anders, nur um uns daran zu erinnern,
daß jeder sie anders sieht. Manche Menschen sagen, daß alle
möglichen Dinge bewiesen werden können. Ich glaube
ihnen nicht. Das einzige, was sicher ist, ist die Tatsache, wie
kompliziert alles ist, wie eine Schnur voller Knoten. Es ist
alles vorhanden, aber es ist schwer, den Anfang zu finden,
und unmöglich, sich das Ende vorzustellen. Das beste, was
man tun kann, ist, das Fadenspiel zu bewundern und es vielleicht noch ein bißchen mehr zu verknoten.«[20] Oder für den
vierunddreißigjährigen Engländer Graham Swift, der in seinem Geschichtsroman *Waterland* (1983, dt.1984) einen
Lehrer schildert, der seinem Schüler Price am Beispiel der
Französischen Revolution eine Lektion erteilt wie die folgende:»Wenn wir versuchen, eine Revolution zu definieren,
so imitieren wir dabei genau den Ablauf der Revolution –
wir schalten mit einer imaginären Guillotine all jene aus, die
in eine absolute Idee von Revolution (ohnehin eine Unmög-
lichkeit) nicht hineinpassen. Wer war nun der wahre Vertreter der Revolution? Danton? Er hatte die Nase voll und wollte sich aufs Land zurückziehen. Robespierre? Er war ein
rücksichtsloser Fanatiker. [...] Wo also ist dann die Revolution? Dieser Beginn unseres modernen Zeitalters. Ist sie nur
ein willkürlich gewählter Begriff? Liegt sie in einem
undurchschaubaren Gewirr von zahllosen einzelnen Umständen, das zu komplex ist, um analysiert zu werden? Es ist
seltsam, Price, aber je mehr man versucht, die Ereignisse zu
sezieren, je mehr einem das entschwindet, was man anfangs

als gegeben hingenommen hat – desto mehr gewinnt man den Eindruck, daß es eigentlich nie geschehen ist, sondern irgendwie nur in der Phantasie...«[21]

Solche Vergleiche sind natürlich ungerecht. Die beiden englischen Autoren – die ich, eher zufällig, ausgewählt habe, weil ihre zitierten Bücher einem Zeitraum entstammen, der hierzulande noch literarisch durch die Nachwirkungen der Neuen Subjektivität bestimmt wurde – haben es gewiß leichter, zu einem unverkrampften Umgang mit der Geschichte zu finden, als jeder deutsche Schriftsteller. Es ist einfacher, als Engländer über die Französische Revolution zu schreiben denn als Deutscher über die deutsche Vergangenheit, zumal über die jüngere.

Doch letztlich entschuldigt dieses Argument kaum etwas. Denn gerade weil während der Zeit des Nationalsozialismus hierzulande Geschichtsklitterungen dazu dienten, die entsetzlichsten Verbrechen zu rechtfertigen, müßte jeder Autor, der sich mit den Biographien der Tätergeneration kritisch beschäftigt, ein skrupulöses und skeptisches Verhältnis zu historischer Eindeutigkeit an den Tag legen, statt die alten ideologischen Wertungsmuster einfach umzufärben. Wie lange sich dennoch viele dieser Autoren mit traktathaften Abrechnungen zufrieden gaben, ist nicht nur in literarischer Hinsicht ernüchternd. Der soziale Aufbruch Ende der sechziger Jahre bot die Chance, eine ungeahnte neue Offenheit und Urbanität zu erobern. Doch ein großer Teil der deutschen Literatur dieser Zeit entwickelte, in politischer Hinsicht, ein fast manichäisches Bewußtsein – und blieb damit, auch wenn die Vorzeichen ausgetauscht worden waren, dem politischen Bewußtsein der vielgescholtenen Väter ähnlicher, als ihm lieb sein konnte.

Vom Duft der Literatur
Patrick Süskind – und die
deutsche Genieästhetik

»Genie hin, Genie her,
Reinlichkeit ist auch keine üble Sache.«
Arthur Schnitzler
Aphorismen und Betrachtungen

Wer über Patrick Süskind spricht, kann vom Erfolg des *Parfums* (1985) nicht schweigen. In den ersten zehn Jahren seit seinem Erscheinen erreichte das Buch in der Originalfassung eine Auflage von über zwei Millionen Exemplaren und wurde in 31 Sprachen übersetzt. Es zählt damit zu den wenigen anspruchsvollen Bestsellern der deutschen Literatur während der letzten Jahrzehnte, mehr noch, es ist vermutlich der meistverkaufte belletristische Titel seit Kriegsende und gehört mit einer internationalen Gesamtauflage von rund acht Millionen Exemplaren neben Thomas Manns *Buddenbrooks* (1901) und Erich Maria Remarques *Im Westen nichts Neues* (1929) wohl zu den am weitesten verbreiteten deutschsprachigen Büchern dieses Jahrhunderts. Man darf es, hier ist das Wort am Platz, einen Welterfolg nennen.

Nun wird eine solche überragende Resonanz hierzulande bei manchen nicht unbedingt als Auszeichnung für einen Schriftsteller betrachtet. Gewöhnlich erwartet man von einem bedeutenden Autor eher, verkannt zu sein. Erfolg gilt – zumal im Literaturbetrieb – schnell als rechtfertigungsbedürftig. Dagegen wirkt die Behauptung, ein Schriftsteller werde von einer Minderheit hochgeschätzt, im selben sozialen Milieu gemeinhin wie ein Adelsprädikat – und zwar für diesen Schriftsteller und für jene Minderheit. Ich fürchte, hinter solchen Voreingenommenheiten steckt ein letzter Rest intellektueller Massenverachtung, schwingt etwas mit von der Sehnsucht nach kleinen, feinen Zirkeln, die über

Wissen verfügen, das der bornierten Menge nicht zugänglich ist.

Immerhin haben es solche Ressentiments vermocht, das *Parfum* – nach einer leidlich wohlwollenden Aufnahme durch die Literaturkritik[1] – an den Rand der intellektuellen literarischen Diskussion zu drängen. Die Germanistik, zumal die deutsche, schweigt sich über Patrick Süskind weitgehend aus. Zehn Jahre nach der Publikation des *Parfums* sind nur vereinzelte Aufsätze[2] über das Buch erschienen, obwohl es zu den wichtigen Leistungen der deutschen Literatur während der letzten Jahrzehnte zählt. Es ist ein ungeheuer vielschichtiges Werk, ein parodistischer Künstlerroman, ein Lehrstück über Kräfte und Gefahren der Aufklärung, eine spielerische Kritik an überkommenen Vorstellungen von Originalität und Identität und schließlich ein ebenso klug wie subtil vollzogener Abschied von der modernen Sehnsucht nach einer umfassenden Ordnung. Mit welcher Virtuosität es Süskind darüber hinaus versteht, dies alles in eine sprachlich brillante, traditionsgesättigte, ungemein fesselnde erzählerische Form zu bringen, macht sein Buch zu einem hervorragenden Beleg für die These, daß es sehr wohl möglich ist, Literatur und Unterhaltung, hohe ästhetische Ansprüche und Lust bei der Lektüre zum gegenseitigen Vorteil zu verschmelzen.

Genie schlechthin

Süskind läßt über Jean-Baptiste Grenouille keine Illusionen aufkommen. Schon im Untertitel des Buches nennt er ihn einen Mörder, im ersten Absatz ein Scheusal. Aber er bezeichnet ihn auch als genial und streicht seine außerordentlichen Fähigkeiten mit allem Nachdruck heraus. Ein solcher Zwiespalt macht neugierig, doch dient er in diesem Fall zugleich einer präzisen Charakterisierung der Figur. Denn Süskind führt mit seinem Helden ein Paradebeispiel des einerseits extrem begabten, andererseits nicht gesellschaftsfähigen, moralisch verantwortungslosen Künstlers vor. So gründlich dieser, gemessen an allen ethischen und sozialen Maßstäben, in der zivilisierten Welt scheitert, so unumschränkt herrscht er in einer anderen Welt, der Welt der Gerüche und Düfte, in der er sein überwältigendes Werk vollbringt.

Grenouille verfügt also über ein Genie, wie es im Buche steht, genauer: wie es in Kants *Kritik der Urteilskraft* beschrieben wird. Genie sei, so heißt es hier, das angeborene »Talent«, »welches der Kunst die Regel gibt«, und an diese Definition schließt Kant dann vier nähere Bestimmungen an: nämlich daß Genie »1) ein Talent sei«, etwas zu schaffen, das nicht »nach irgend einer Regel gelernt werden kann; folglich daß Originalität seine erste Eigenschaft« ist. »2) Daß, da es auch originalen Unsinn geben kann, seine Produkte zugleich Muster, d. i. exemplarisch sein müssen«. Und: »3) Daß es, wie es sein Produkt zu Stande bringe, selbst nicht beschreiben, oder wissenschaftlich anzeigen könne«. Folglich: »4) Daß die Natur durch das Genie nicht der Wissenschaft, sondern der Kunst die Regel vorschreibe«.[3]

Die Parallelen zu Süskinds Hauptfigur sind offensichtlich. Grenouille besitzt seine Begabung, jene exorbitante Geruchsempfindlichkeit, von Geburt an. Er erlernt sie nicht, sondern lebt sie aus und ist schon im Waisenhaus in der Lage, »die Raupe im Kohl, das Geld hinterm Balken, die Menschen durch Wände hindurch und über eine Entfernung von mehreren Straßenzügen hinweg«[4] zu erwittern. Wie aussichtslos es ist (entsprechend Kants erster näherer Bestimmung des Genies), dieses Talent nach irgendeiner Regel erwerben zu wollen, hat Grenouilles erster Lehrherr, Giuseppe Baldini, sein Leben lang leidvoll erfahren: Obwohl er als Parfumeur alle Regeln und Techniken seiner Kunst beherrscht, gelingt ihm doch nie eine originale Duftschöpfung – er muß sich darauf beschränken, die Produkte anderer Meister nachzuahmen. Grenouilles Kreationen dagegen sind (wie es Kants zweite Bestimmung verlangt) innovativ und maßstabsetzend, denn Baldini kann dank ihrer innerhalb kürzester Zeit »zum unumstritten größten Parfumeur Europas« (*Parfum* S.138-139) aufsteigen. Gleichwohl ist Süskinds Held (Kants dritte Bestimmung) nicht in der Lage, seine Arbeitsweise zu beschreiben oder rational zu erklären; er macht vielmehr einen ziemlich unintelligenten Eindruck: »[...] mit abstrakten Begriffen also, vor allem ethischer und moralischer Natur, hatte er die größten Schwierigkeiten. [...] Sein Lehrer hielt ihn für schwachsinnig« (*Parfum* S.33-35). Offenkundig ist Grenouilles Intuition also aufs künstlerische Gebiet beschränkt (Kants vierte Bestimmung) und hat mit Wissenschaft nichts zu tun: Die Techniken zur Duftstofferzeugung beispielsweise muß er, wie jeder andere Nachwuchsparfumeur auch, trotz seiner ungeheuren Begabung erst mühevoll erlernen.

Aber es sind nicht allein Kants einschlägige Überlegungen, die für Grenouilles literarische Existenz Pate standen. Auch Diderots früher entstandene und in *Rameaus Neffe* ausgeführte Ideen zum Wesen des Genies haben in seiner Gestalt ihre Spuren hinterlassen. Mehr noch: Süskind vereinigt, wie Werner Frizen gezeigt hat[5], in seiner Figur zahlreiche Züge, die das Bild des Genies vom Beginn des Sturm und Drang durch die literarische Moderne hindurch prägten. So beschreibt er ihn als körperlich abnorm und infantil, als einen dem Wahnsinn nahen Einzelgänger, der sein Leben am Rande der Gesellschaft verbringt, um schließlich – für einen Moment – zu messianischer Größe aufzusteigen. Grenouille übernimmt mithin die Rolle eines paradigmatischen Genies, er wird von Süskind als Musterbeispiel eines Künstlers aufgebaut, der mit Talent im überreichen Maß gesegnet und geschlagen ist, ausschließlich sein Werk im Kopf hat und sich um alles übrige nicht schert.

Zu Anfang sind ihm seine enormen Fähigkeiten kaum mehr als ein Spielzeug. Er erobert sich riechend seine Welt, erschnüffelt unterschiedslos, was ihm unterkommt, und stellt dann »in der synthetisierenden Geruchsküche seiner Phantasie« immer neue Duftkombinationen zusammen »wie ein Kind, das mit Bauklötzen spielt, erfindungsreich und destruktiv, ohne erkennbares schöpferisches Prinzip« (*Parfum* S.48-49). Doch die Erfahrung, die sein Leben prägt, macht sich schon hier bemerkbar: Seine Imagination ist – in olfaktorischer Hinsicht, aber die allein zählt für ihn – unvergleichlich prächtiger und reizvoller als alles, womit ihn die Realität beglücken könnte. Während er in fiktiven Symphonien des Geruchs schwelgt, gönnt ihm die Wirklichkeit selten mehr als entsetzlichen Gestank; obwohl seine Nase zu subtilsten Wahrnehmungen fähig ist, findet er kaum je etwas, das auch nur ein flüchtiges Schnuppern wert wäre. Unter dem Eindruck dieses quälenden Mißverhältnisses und anläßlich eines erlesenen Mädchenduftes beschließt er, »der größte Parfumeur aller Zeiten« (*Parfum* S.58) zu werden, die Welt in seiner Kunst neu zu erschaffen. »Er wollte seines Innern sich entäußern, nichts anderes, seines Innern, das er für wunderbarer hielt als alles, was die äußre Welt zu bieten hatte.« (*Parfum* S.140)

Grenouille stürzt sich nun mit fanatischem Eifer darauf, von seinen Lehrherren – zunächst Baldini, später Druot – die handwerklichen Seiten seiner Kunst zu erlernen. Zwischendurch durchlebt er eine Krise der Menschenverachtung und grenzenlosen Egozentrik: Auf der Wanderschaft von Paris nach Grasse sucht er Zuflucht in einer gänzlich abgelegenen Gebirgsgrotte, wo er sich sieben Jahre lang in Weltekel und Duftphantasien ergeht. In seinen Träumen erbaut er sich, wie es sich für einen Décadent gehört, ein künstliches Paradies, ein »purpurnes« Luftschloß, und dort badet er »in seiner eigenen, durch nichts mehr abgelenkten Existenz und fand das herrlich.« (*Parfum* S.158)

Doch nach Ausbildung und Krise steht dem großen Werk nichts mehr im Weg. Grenouille nimmt es konsequent und ohne Rücksicht auf irgendwelche Regeln oder Gesetze in Angriff – und das gilt leider auch im moralischen

Sinne. Sein Erfolg ist schließlich, selbst wenn er für ihn buchstäblich über Leichen geht, fulminant; sein Genie ist evident. Doch für ihn selbst ist dieser Triumph zugleich eine Katastrophe. Zwar erreicht er sein Ziel: Der Duft, den er kreiert hat, ist tatsächlich so verführerisch, daß jeder, der ihn riecht, »den Träger dieses Duftes von ganzem Herzen lieben« (*Parfum* S.198) muß; ja, die Menschen lassen sich durch ihn zu ekstatischen Verzückungen, zu öffentlichen Exzessen hinreißen. Aber das kann, so muß Grenouille erkennen, nichts an seinem Dilemma und seinem Weltekel ändern. Auch wenn das letzte Parfum, sein größtes Kunstwerk, jeden in Liebe zu ihm entbrennen läßt, so bleibt es für ihn doch nur eine Duftmaske, von der er nur zu genau weiß, daß sie eine Schimäre ist, eine Illusion, und nicht jene innere Welt, der er sich entäußern, die er an die Stelle der realen Welt setzen wollte. Mögen alle getäuscht werden, er selbst bleibt sich jenes unauflösbaren Widerspruchs bewußt: »Die andern sind nur seiner Wirkung untertan, ja, sie wissen nicht einmal, daß es ein Parfum ist, das auf sie wirkt und sie bezaubert. Der einzige, der es jemals in seiner wirklichen Schönheit erkannt hat, bin ich, weil ich es selbst geschaffen habe. Und zugleich bin ich der einzige, den es nicht bezaubern kann. Ich bin der einzige, für den es sinnlos ist« (*Parfum* S.316-317). Daß Grenouille, der am Schein gescheitert ist, daraufhin den Selbstmord wählt und ihn mit parfümistischen Mitteln herbeiführt, ist nur folgerichtig.

Wer will, kann *Das Parfum* also als die exemplarische Passionsgeschichte eines Genies lesen, das an seinen inneren Widersprüchen scheitern muß, als das Drama des begabten Menschen, der Anspruch und Realität, hochfliegende Absichten und schäbige Wirklichkeit nicht zur Deckung bringen kann. Daneben ist das Buch aber auch die Parodie einer solchen, aus der Tradition nur allzu gut bekannten Passionsgeschichte – daran lassen sowohl der immer leicht überzeichnete Lebensweg Grenouilles aus der allertiefsten Gosse zum allerhöchsten, orgiastischen Triumph als auch der leicht überhitzte Tonfall des Erzählers keinen Zweifel. Das Buch ist ernst und komisch zugleich, und der Autor zwingt seinen Leser dazu, in jeder Episode, in jedem Kapitel neu zu entscheiden, ob er den Text als Tragödie oder als Komödie betrachten, ob er erschüttert oder amüsiert sein will. Ein irritierender und verunsichernder Effekt, der es, nebenbei gesagt, in seiner Wirkung ohne weiteres mit den inzwischen vertrauten Verfremdungen oder Provokationen moderner Prägung aufnehmen kann.

Doch abgesehen davon, löst Süskind mit dieser Gratwanderung zwischen Pathos und Witz ein grundlegendes Problem seines Buches. Denn Grenouilles Geschichte ist, gerade wenn man sie als ein exemplarisches Künstlerschicksal liest, auch als Warnung vor der Verführungskraft großer Kunstwerke zu verstehen, als Warnung vor einer Ästhetik, deren Suggestion überwältigen soll und die mitunter »stärker ist als Worte, Augenschein, Gefühl und Wille« (*Parfum* S. 107). Andererseits aber erzählt Süskind diese Geschichte selbst mit einer beträchtlichen literarischen Verführungskraft – und man hätte als Leser wohl wenig Chancen, sich ihr zu entziehen, wenn der Autor seine eigene Geschichte nicht zugleich parodistisch unterminierte und sie auf diese Weise immer wieder in eine reflektionsfördernde Distanz rückte.

Die duftende Seele der Dinge

Süskind hat seine Geschichte in die Blütezeit der französischen Aufklärung verlegt. Als Grenouille 1738 in Paris geboren wird, veröffentlicht Voltaire sein Buch über die *Elemente der Philosophie von Newton*; als er 1753 seine Lehre antritt, haben Diderot und d'Alembert (mit dem Grenouille immerhin seine Vornamen teilt) bereits den dritten Band ihrer *Encyclopédie* zum Druck befördert; und als Süskinds Held 1767 von Grasse nach Paris zurückkehrt, wird Condillac bald darauf in die Académie française berufen. Die Ideen jener Denker haben das Bewußtsein ihrer Epoche, also zu Grenouilles fiktiven Lebzeiten, bereits in Aufruhr versetzt, doch sind sie auch noch immer umstritten. Mit dem Parfumeur Baldini porträtiert Süskind einen voraufklärerisch geprägten Zeitgenossen, den die neuen Lehren verunsichern und der dem fraglosen Vertrauen in die Autorität der Überlieferung nachtrauert: »In jedem Bereich wird gefragt und gebohrt und geforscht und geschnüffelt und herumexperimentiert«, resümiert Baldini voller Grimm. »Es genügt nicht mehr, daß man sagt, was ist und wie es ist – es muß jetzt alles noch bewiesen werden, am besten mit Zeugen und Zahlen und irgendwelchen lächerlichen Versuchen. Diese Diderots und d'Alemberts und Voltaires und Rousseaus und wie die Schreiberlinge alle hießen – sogar geistliche Herren sind darunter und Herren von Adel! –, sie haben es wahrhaftig geschafft, ihre eigne perfide Ruhelosigkeit, die schiere Lust am Nichtzufriedensein und des um alles in der Welt Sich-nichtbegnügenkönnens, kurz: das grenzenlose Chaos, das in ihren Köpfen herrscht, auf die gesamte Gesellschaft auszudehnen!« (*Parfum* S.74)

Mit diesem zwischen Beschränktheit und Angst schwankenden Monolog nimmt Süskind seine Leser zunächst einmal für die angefeindeten Aufklärer ein. Baldini wirkt wie das Fossil aus einer naiven und überlebten Vorzeit. Tatsächlich hat Grenouille, dessen genialische Kunst und handwerkliche Perfektion als ein Produkt aufklärerischer Autonomie dargestellt werden, rasch größeren Erfolg als sein Ausbilder: Während sich Baldini bei der Produktion von Duftstoffen an überkommene Zunftregeln hält, macht sich sein Schüler rasch von hinderlichen Vorgaben los und beginnt mit Experimenten, die sich nicht mehr an Brauchtum oder Traditionen, sondern am Ergebnis orientieren.

In Grenouilles Händen offenbaren die Methoden der Aufklärung aber umgehend auch ihre erschreckenden Seiten. Er setzt sein Wissen und seine parfümistische Technik ausschließlich instrumentell ein, konkret gesagt, er benutzt beides rücksichtslos, um sein Ziel zu erreichen, nämlich »den Dingen ihre duftende Seele zu entreißen. Diese duftende Seele, das ätherische Öl, war ja das Beste an ihnen, das einzige, um dessentwillen sie ihn interessierten. Der blöde Rest: Blüte, Blätter, Schale, Frucht, Farbe, Schönheit, Lebendigkeit und was sonst noch an Überflüssigem in ihnen steckte, das kümmerte ihn nicht. Das war nur Hülle und Ballast. Das gehörte weg« (*Parfum* S.125). Wie entschieden Süskind sein Publikum hier gegen Grenouille und die von ihm so lebensfeindlich eingesetzte, allein durch seinen Erlösungswahn gerechtfertigte Technik einstimmt, belegt schon seine Wortwahl, die an Drastik nichts zu wünschen übrigläßt. Er betont mithin, wie schon in den Eingangssätzen des Buches, die Ambivalenzen in den Handlungen seines Helden; mehr noch, er bietet, anders als es den Erzählmustern erfolgreicher Autoren gern nachgesagt wird, auch keine Eindeutigkeit in weltanschaulicher Hinsicht an: Statt dessen konfrontiert er seine Leser sowohl mit der Ignoranz der Voraufklärung als auch mit den Gefahren und Verlusten einer nicht mehr kontrollierbaren Aufklärung – und führt ihnen so vor Augen, wie es in den Worten des sonst eher unkritischen Baldini heißt, daß »alle großen Geistestaten nicht nur Licht, sondern auch Schatten werfen und der Menschheit neben Wohltaten auch Verdruß und Elend bereiten« (*Parfum* S.72).

Wie ernst es Süskind mit diesem Aspekt der Geschichte ist, zeigt auch die Tonlage, in der er die Verbrechen seines Helden beschreibt. Er schildert keine Lustmorde, sondern nüchterne Arbeitsvorgänge. Grenouille hat keine sadistische Freude am Töten, er nimmt es vielmehr in Kauf, da es der einfachste Weg ist, den gewünschten parfümistischen Rohstoff zu beschaffen. Für das jeweilige Opfer hat er dabei kaum einen Blick, geschweige denn Mitgefühl: »Ihre Gestalt interessierte ihn nicht. Sie war für ihn als Körper gar nicht mehr vorhanden, nur noch als körperloser Duft« (*Parfum* S.280). Diese wahrhaft mörderische Sachlichkeit unterbindet zum einen jede billige voyeuristische Lust an den weiblichen Leichen des Buches, zum anderen vermittelt sie etwas von den Schrecken und der neuen Barbarei einer totalitär gewordenen Zweckrationalität.

Wie gründlich Süskind die *Dialektik der Aufklärung* studiert und in seine »Geschichte eines Mörders« eingearbeitet hat, läßt sich auch an der Figur des Marquis de la Taillade-Espinasse ablesen. Dieser wunderliche Adelsmann nimmt sich zunächst wie die zeitgerechte Karikatur eines forschungsbesessenen Technokraten aus und ist damit ein heimlicher Verwandter des Dr. Orme aus Sten Nadolnys *Entdeckung der Langsamkeit.* Doch je detaillierter der Marquis seine Ideen über ein der Erde entströmendes, tödliches Verwesungsgas einerseits und die vitalitätsfördernde Höhenluft andererseits ausbreitet, desto mehr nimmt er die Züge eines Religionsstifters und Sektierers an. Seine zunächst scheinbar aufklärerischen Theorien entwickeln sich in seinen weitschweifigen Reden immer mehr zu einer umfassenden Lehre über einen manichäischen Gegensatz zwischen Erde und Luft, Tod und Leben, Verwerfung und Heil. Damit schlägt in seinen Überlegungen pointiert die »Aufklärung in die Mythologie zurück«.[6] Ganz standesgemäß stirbt der Marquis dann einen legendenumwitterten Tod, und einige verschworene Anhänger seiner Doktrin brennen auch heute noch – so verrät uns der Erzähler – Sonnenwendfeuer ab, »um ihrem Meister Taillade-Espinasse und seinem großen Fluidum zu huldigen und um das ewige Leben zu erlangen« (*Parfum* S.208).

Vom Ende der Originalität

Schon in den ersten Rezensionen zu Süskinds Buch zählten die Kritiker zahlreiche literaturgeschichtliche Übernahmen und Anspielungen auf, die sie in dem Text ausgemacht hatten. Seither ist kein Aufsatz über *Das Parfum* erschienen, in

dem nicht auf immer neue Zitate, auf direkte oder camou-
flierte Anklänge an bedeutende Werke der Vergangenheit
hingewiesen würde, die der Autor in seine Geschichte einge-
fügt hat. So lassen sich Verweise auf E. T. A. Hoffmanns
Fräulein von Scuderi, Joris K. Huysmans' *A Rebours* oder
Thomas Manns *Zauberberg* ausmachen. Es finden sich Parallelen zu Goethes *Faust* und Thomas Manns *Doktor Fau-
stus*, zu Novalis' *Heinrich von Ofterdingen* und Günter Grass'
Blechtrommel. Mit entsprechend sensibilisierten Ohren
kann man Gedichte von Goethe, Eichendorff, Claudius,
Baudelaire, Rimbaud oder Rilke nachklingen hören. Anspielungen auf Bilder Caspar David Friedrichs oder die
Opern Richard Wagners sind ebenso zu erkennen wie auf
den Prometheusmythos, Chamissos Schlemihl-Gestalt, das
Märchen vom Froschkönig, Johann Georg Hamanns
Aesthetica in nuce oder Ideen Nietzsches und vieles andere
mehr.

Mit einer solchen Fülle von Zitaten bringt sich ein Autor
natürlich leicht in den Verdacht, bloß epigonal zu sein.
Doch das bekümmert Süskind offensichtlich nicht, im
Gegenteil, er legt geradezu demonstrativ wenig Wert auf
jene Originalität – mit der er andererseits seinen Helden
Grenouille in überreichem Maße ausstattet. Ein Verzicht
aus gutem Grund, denn *Das Parfum* erzählt eben nicht nur
die exemplarische Geschichte eines Künstlerschicksals, das
Buch übt zugleich dezidierte Kritik an dem – gerade in
Frankreich und in Deutschland seit dem Sturm und Drang
so hingebungsvoll gepflegten – Geniekult samt seinem Ori-
ginalitätsgebot, seinem Innovationszwang und seiner Revo-
lutionsattitüde. (Späte Ausläufer dieses Kultes lassen sich bis
hin zur Neuen Subjektivität nachweisen, die vom Autor die
Originalität der Wahrnehmung, sprich: eine überragende
Sensibilität, oder eine zwanghafte Originalität des Erlebens,
sprich: Authentizität, verlangt.)

Süskind blickt vom Ende des 20. Jahrhunderts auf den
Lebensweg seines Helden zurück, vom Ende eines Jahrhun-

derts, das mit der Genieidee – in einer entstellten und vulgarisierten Form – die entsetzlichsten Erfahrungen gemacht hat. 1939 beschrieb Thomas Mann Hitler als einen beschämenden Bruder des Künstlers, als bohemehaften Visionär und instinktsicheren Verführer, der sich um seines vorgeblich geschichtsnotwendigen Werkes willen von allen Gesetzen oder tradierten ethischen Rücksichten frei glaubt: »Ich will es dahingestellt sein lassen, ob die Geschichte der Menschheit einen ähnlichen Fall von moralischem und geistigem Tiefstand, verbunden mit dem Magnetismus, den man ›Genie‹ nennt, schon gesehen hat wie den, dessen betroffene Zeugen wir sind.«[7] Aber nicht nur in der Person Hitlers sind solche geniehaften Züge auszumachen. Schon in der intellektuellen Führersehnsucht, die während der zwanziger und frühen dreißiger Jahre weit verbreitet war und von prominenten Autoren wie Ernst Jünger, Rudolf Borchardt oder Carl Schmitt artikuliert wurde, schwang eine ins Politische gewendete Genieideologie mit[8].

Vor einem solchen politischen Hintergrund kann, das ist einer der zentralen Gedanken von Süskinds *Parfum*, der jahrhundertealte Kult um das Genie und dessen Auserwähltheit gegenüber der immer nur als dumpf vorgestellten Masse nicht ungebrochen fortgesetzt werden. Die Vergangenheit zwingt dazu, einige der, wie Judith Ryan schreibt, »herkömmlichen, von der Zeit um 1800 ererbten« ästhetischen Grundüberzeugungen zu überprüfen, die »Vorstellungen also von Genie, Ursprünglichkeit und Universalität. *Das Parfum* ist keineswegs nur ein Beispiel für diese Aspekte der Postmoderne, sondern auch ein Beitrag zu deren Diskussion: der Roman selber versucht, eine Umwertung herkömmlicher kritischer Maßstäbe vorzunehmen.«[9]

Süskind zitiert seine Vorbilder quer durch die Literaturgeschichte also nicht aus epigonaler Sprachohnmacht, sondern um sein Buch bewußt und deutlich erkennbar in die Tradition der Genieästhetik zu stellen und mit dieser Tradition zugleich genauso deutlich erkennbar zu brechen. Mit spielerischem Übermut baut er aus den Versatzstücken einer Literatur, die der Innovation verpflichtet ist, die Figur eines genialen Künstlers zusammen. Mit großem Ernst demonstriert er an diesem Homunkulus dann die monströsen Seiten eben jener Ästhetik und macht *Das Parfum* so zu einem Meisterwerk jenseits der althergebrachten Originalitätsnormen.

Daneben klingt in Süskinds Roman noch eine weitere bedenkenswerte Mahnung an. Grenouille ist, obwohl er die empfindlichste Nase der Welt hat, selbst vollkommen geruchlos. Ein charakteristischer Zug, der natürlich auf jene psychologischen Theorien verweist, die große künstlerische Mühen als den Versuch des Künstlers deuten, seine mehr oder minder geheimen, schmerzenden Defizite zu kompensieren. Daneben kann man in Grenouilles Makel allerdings auch das Symbol für einen Mangel an Identität sehen (»... wenn er sich selbst nicht riechen konnte und deshalb niemals wüßte, wer er sei... «, *Parfum* S.316) – einen Mangel, der mit dem Beginn der Moderne zum existentiellen Problem wird und der uns Süskinds Helden trotz seines historischen Kostüms sofort vertraut macht. Zwar sind seine Anstrengungen, sich selbst eine (Geruchs-)Identität zu schaffen, äußerlich erfolgreich; sein Auftritt auf dem Richtplatz von Grasse erinnert an den eines Showstars mit maßgeschneidertem Image. Doch das ändert nichts an seiner psychischen Situation. Mehr noch: Da Grenouille – anders als Süskind, der den Abschied von der ästhetischen Originalität bewußt vollzieht – nicht bereit ist, auf eine einmalige, heile Persönlichkeit zu verzichten, muß er schließlich im ebenso schauerlichen wie ironischen Finale des Buches die totale Desintegration seiner Person in den Mägen einiger Pariser Elendsgestalten hinnehmen.

Das erste Buch Patrick Süskinds erschien 1984: der Text seines Theaterstücks *Der Kontrabaß*. Es geht darin, wie Süskind im Klappentext erläutert, »- neben einer Fülle anderer Dinge – um das Dasein eines Mannes in seinem kleinen Zimmer«. Gleiches ließe sich von seiner Geschichte *Die Taube* (1987) sagen. Hier ist es der Wachmann Jonathan Noel, der seit Jahrzehnten in einer Pariser Mansarde haust, bevor er von einem Vogel für einen Tag aus ihr vertrieben wird. Und Grenouille zieht sich im *Parfum* für immerhin sieben Jahre in einen winzigen Raum, eine Gebirgsgrotte, zurück, wo er sich ungestört in seinen Phantasien verlieren kann.

Auch die Gründe, die diese drei Männer in abgeschlossenen Orten Zuflucht suchen lassen, weisen gewisse Parallelen auf. Grenouille wird vom Ekel vor den Menschen und ihren Gerüchen in seine Höhle getrieben. Dort erträumt er sich dann eine harmonisch konzipierte Duftwelt, aus der alle »üblen Gestänke der Vergangenheit hinweggetilgt waren« (*Parfum* S.161). Noel, der Wachmann, wurde in seiner Kindheit durch den Verlust seiner Eltern tief verstört und hat seither nur noch den Wunsch, sich vor der feindlichen Welt in seiner wohlgeordneten, übersichtlichen Dachstube zu verbergen. Und der Kontrabassist schließlich fühlt sich als Musiker wie als Mensch mißachtet und entwirft deshalb in seinem schallisolierten Akustikraum gewagte Pläne, um sich jenen Platz im Leben zu erobern, der ihm seiner Meinung nach zusteht. Kurz: Dem Rückzug dieser Helden in ihre engen Kammern geht jeweils eine Kränkung voraus, die sie veranlaßt, sich von der chaotischen, bedrohlichen, undeutbaren Wirklichkeit abzuwenden.

Mit der Vorliebe für dieses Motiv steht Süskind nicht allein. Es spielt beispielsweise auch im Werk des Amerikaners Don DeLillo eine bedeutende Rolle. »Am Ende sitzt schließlich ein Mann in einem kleinen Zimmer, ein Mann, der sich abgeschottet hat, und das passiert in meinen Büchern typischerweise«[10], sagt DeLillo und meint damit unter anderem den leicht paranoiden Bucky Wunderlick aus seinem Roman *Great Jones Street* (1973), den nicht minder von Verfolgungsgefühlen geplagten Owen Brademas aus *Die Namen* (1982, dt.1994), den öffentlichkeitsscheuen Schriftsteller Bill Gray aus *Mao II* (1991, dt.1992) oder aber Lee H. Oswald, den Kennedy-Attentäter, dessen Lebensweg er in dem Buch *Sieben Sekunden* (1988, dt.1991) abschreitet. Es sind, wie Süskinds Figuren, Menschen, die dem Leben enttäuscht oder verunsichert den Rücken kehren, Menschen, die sich von der Welt abschließen und in ihrer Isolation eine Ordnung herbeiträumen, die ihnen reiner und besser erscheint als das beängstigende Durcheinander der Realität. Diese Phantasien äußern sich dann, wie im Fall Noels, vielleicht nur in dem Drang nach einem penibel organisierten und gleichmäßig abschnurrenden Tagesablauf. Oder in der Sehnsucht nach einem perfekten Kunstwerk, wie bei Grenouille und Bill Gray, das der wirren Wirklichkeit klare ästhetische Strukturen entgegensetzen soll. Oder aber in einem lange erwogenen Vorhaben, das den Lauf der Dinge mit einem Schlag grundlegend ändern soll, in einem »herostatischen Akt«[11] wie dem effektvoll kalkulierten Verzweiflungsschrei des Kontrabassisten oder eben in einem terroristischen Anschlag wie dem Oswalds.

Die Helden Süskinds und DeLillos schließen sich selber ein, sie verweigern den Austausch, die Kommunikation mit einer undurchschaubaren und deshalb furchteinflößenden Wirklichkeit. Sie beharren auf ihrem Bedürfnis nach einer klaren Ordnung, auch wenn das für sie bedeutet, sich von jenem ungeordneten Dasein verabschieden zu müssen, sich in Einsamkeit, Träume oder wahnhafte Verschwörungen einzukapseln. Beide Autoren sind klug genug, zu zeigen, in welchem Maße gerade Künstler und Schriftsteller prädestiniert sind für ein solches Schicksal und wie verlockend für sie die Vorstellung eines reinen, aller Welthaltigkeit ledigen

Kunstwerkes ist. Aber sie zeigen auch die Gefahren dieses Verlangens nach Autonomie, nach ästhetischer Erlösung und plädieren deshalb für eine andere, weltzugewandte, nicht-hermetische Ästhetik. Patrick Süskind hat diese Offenheit in ein anziehendes Bild gekleidet: Der Ort, dem Grenouille zustrebt, nachdem er sein selbstgewähltes Felsverlies hinter sich gelassen hat, ist die Duftstadt Grasse. Sie macht, im Vergleich zum erhaben aufragenden, menschenfernen Gebirge zuvor »keinen besonders pompösen Eindruck«. Sie präsentiert sich vielmehr zugänglich und in ruhiger Selbstsicherheit frei: »Die Mauern schienen alles andere als trutzig, da und dort quollen die Häuser über ihre Begrenzung hinaus, vor allem nach unten zur Ebene hin, und verliehen dem Weichbild ein etwas zerfleddertes Aussehen. Es war, als sei dieser Ort schon zu oft erobert und wieder entsetzt worden, als sei er es müde, künftigen Eindringlingen noch ernsthaften Widerstand entgegenzusetzen – aber nicht aus Schwäche, sondern aus Lässigkeit oder sogar aus einem Gefühl von Stärke.« (*Parfum* S.210-211)

Für den gewöhnlichen Leser
Noch ein Plädoyer – und eine Debatte

> »Kunst soll keine Schulaufgabe und
> Mühseligkeit sein, keine Beschäftigung
> contre cœur, sondern sie will und soll
> Freude bereiten, unterhalten und
> beleben, und auf wen ein Werk diese
> Wirkung nicht übt, der soll es liegen-
> lassen und sich zu andrem wenden.«
> Thomas Mann
> *Einführung in den ›Zauberberg‹*

Dergleichen liest man hierzulande nicht oft: »...Ich freue mich«, schreibt der englische Aufklärer und Literaturkritiker Samuel Johnson, »mit dem gewöhnlichen Leser im Einklang zu sein; denn von dem gesunden Menschenverstand der Leser, unverdorben durch literarische Vorurteile, muß, nach allem Raffinement an Subtilität und dem Dogmatismus der Gelehrsamkeit, letzten Endes über allen Anspruch auf poetische Ehren entschieden werden.« Mir gefällt, offen gestanden, der Freimut eines Mannes, der zur literarischen Bildung seines Jahrhunderts so viel beitrug wie kaum ein anderer und der gleichwohl die ästhetische Urteilskraft des gewöhnlichen Lesers zu schätzen wußte – und das nicht aus übertriebener Bescheidenheit oder intellektueller Selbstpreisgabe, sondern einfach, weil er die gewöhnlichen Leser für das Publikum hielt, an das die Literatur sich richtet.

Johnson spricht wohlgemerkt vom gewöhnlichen *Leser*, nicht vom gewöhnlichen Bürger oder einem wie immer gearteten Durchschnitt der Bevölkerung. Er bezieht sich auf Menschen, die aus freien Stücken lesen, jenseits professioneller Notwendigkeiten oder Zwecke, die über gesunden Menschenverstand verfügen und von literaturtheoretischen Vorurteilen unverdorben sind. Mit ihren Ansichten über »poetische Ehren« weiß er sich gern im Einklang, denn, das scheint mir die Prämisse seiner Überlegung zu sein, was immer an Subtilität und Gelehrsamkeit in ein Buch einging, muß auch auf jene gewöhnlichen Leser wirken – oder es sind nur leeres Raffinement und purer Dogmatismus, also der poetischen Auszeichnung nicht wert.

Die Haltung Johnsons erschöpfte sich in England nicht mit dem 18. Jahrhundert. 1925 zitierte Virginia Woolf, eine der wichtigsten englischsprachigen Vertreterinnen der Moderne, Johnsons Bekenntnis voller Zustimmung. »Der Satz umschreibt die Qualitäten dieser Leser; er gibt ihren Zielen Würde; er verleiht einer Tätigkeit, die sehr viel Zeit verschlingt und eigentlich doch nichts sehr Greifbares hinterläßt, Siegel und Beifall des großen Mannes.« Damit noch nicht genug: Sie gab den beiden von ihr zusammengestellten Sammlungen mit eigenen literaturkritischen Essays den gemeinsamen Titel *Der gewöhnliche Leser* und unterstrich so doppelt, welchen Wert sie dessen Perspektive beimaß, der Perspektive eines Menschen, der, wie sie schrieb, »mehr zum eigenen Vergnügen« liest »und kaum, um Wissen zu vermitteln oder die Ansichten anderer zu korrigieren«[1].

Allerdings steckt in Johnsons Bemerkung ein kleines, kaum übersetzbares Wortspiel – und dieses Übersetzungsproblem gibt vielleicht einen Hinweis darauf, weshalb Johnsons These über die Beurteilung von Literatur hierzulande noch immer auf Irritationen, wenn nicht gar auf Unbehagen stößt. Bei ihm heißt der gewöhnliche Leser »the common reader« und verknüpft sich so schon durch die Wortwahl wie selbstverständlich mit seinem Begriff für gesunden Menschenverstand: »the common sense«. Dieser urenglische Begriff aber, in dem einiges anklingt von der Liberalität, dem Pragmatismus und dem bürgerlichen Selbstbewußtsein einer gewachsenen Demokratie, hat sich derart hartnäckig allen Übersetzungsversuchen ins Deutsche widersetzt, daß er kurzerhand als Fremdwort in unser Vokabular eingegliedert wurde. In der oft als freie Übertragung herangezogenen Formel vom »gesunden Menschenverstand« schwingen bis heute Erinnerungen an das »gesunde Volksempfinden« mit,

156

jene nationalsozialistische Terrorfloskel, in deren Namen vor den Augen eines schweigenden Bürgertums Liberalität und Demokratie in Deutschland vernichtet wurden. Es hat also gute geschichtliche Gründe, wenn ein englischer Kritiker sich ganz unbeschwert darüber freut, sein Urteil im Einklang mit dem »common sense« zu wissen, während sich manchem deutschen Kollegen zunächst die Nackenhaare hochstellen, wenn er hört, daß es der »gesunde Menschenverstand« sei, der letzten Endes über den Anspruch auf »poetische Ehren« entscheide.

Eine Diskrepanz, die sich mit Blick auf moderne Literatur noch verschärft. Denn die Moderne war, wie Wolfgang Welsch schreibt, »im Wesen präskriptiv«[2]. Sie wollte die Leser empfindsam machen für das, was sonst unausgesprochen blieb, für das, was aus dem gesellschaftlichen oder individuellen Bewußtsein ausgeblendet wurde[3], und geriet so mit Notwendigkeit in Opposition zu den konservativen Teilen des öffentlichen Bewußtseins. Andererseits schuf sie sich zugleich durch ihre Tabuverletzungen eine neue, aufgeschlossene Öffentlichkeit, an die sie sich wenden konnte und die ihr Verständnis entgegenbrachte. Der Konflikt zwischen diesen verschiedenen Mentalitäten entbrannte jedoch nicht überall mit gleicher Heftigkeit. In Deutschland, das sich später als seine Nachbarn anschickte, den Anschluß an die politische Moderne zu finden, wurde der Streit besonders erbittert ausgetragen. Der Graben zwischen den Schriftstellern der verschiedenen Avantgardebewegungen und dem überwiegenden Teil des Publikums war hier noch tiefer als in vielen anderen Ländern – und spätestens mit dem Aufstieg der Nationalsozialisten entwickelte dieser Gegensatz eine politische Dimension, die viele Schriftsteller in ihrer Skepsis und ihrem Mißtrauen gegen das Publikum gründlich bestärkte. Im Vergleich dazu fielen beispielsweise in England die entsprechenden Konflikte harmloser aus und waren in weit geringerem Maße politisch eingefärbt. Was es dort, wie das Beispiel Virginia Woolf belegt, den Autoren der Moderne erleichtert hat, die gewöhnlichen Leser nicht pauschal als Gegenspieler, sondern eher als potentielle Parteigänger zu betrachten, deren literarisches Urteil für ihre Arbeit sehr wohl von Belang ist.

Doch all diese Gefechte sind lange ausgefochten. Die ästhetische Moderne hat ganze Arbeit geleistet. Jene Gegenöffentlichkeit, die sie einst mit ihren Provokationen begründete, ist inzwischen zur vorherrschenden geworden. Ganze Kulturindustriezweige sind heute damit beschäftigt, unser individuelles oder gesellschaftliches Unbewußtes permanent auszuleuchten, uns zu desillusionieren und einem Publikum Diagnosen zu stellen, das die jeweils neuesten schockierenden Ergebnisse routiniert zur Kenntnis nimmt. Was nicht heißen soll, daß dieses Publikum aus den einschlägigen Erkenntnissen immer die notwendigen Konsequenzen zöge – doch dafür konnten auch die Klassiker der Moderne nicht garantieren. Sie waren aber mit ihren damals sensationellen und befremdlichen Ideen so erfolgreich, daß diese mittlerweile zur geistigen Grundausstattung gehören. Ein Ergebnis, das diese Vordenker gewiß nicht nur freuen würde. Denn wenn in unserer Zeit, wie behauptet wird, ein ›aufgeklärtes falsches Bewußtsein‹ regiert, dann nicht allein trotz der ästhetischen Moderne, sondern auch weil diese als eine der wesentlichen intellektuellen Strömungen dieses Jahrhunderts in eben dieses aufklärerisch reduzierte Bewußtsein einmündete.

Zudem sind seit Kriegsende fünfzig Jahre ins Land gegangen. Wir leben hierzulande inzwischen in einer pluralistischen und erstaunlich gefestigten Demokratie. In den Buchhandlungen trifft man heute mehrheitlich Menschen, die in einem liberalen, westlich geprägten Land geboren und aufgewachsen sind oder aber den größten Teil ihres Lebens in einem solchen Land verbrachten; und diese Menschen greifen, was niemanden verwundern sollte, mit Vorliebe zu Büchern, von denen sie sich als selbstbestimmte Individuen samt ihrer Unterhaltungsbedürfnisse *und* Erkenntnisinteressen respektiert fühlen. Vor allem aber weichen diese gewöhnlichen Leser der Gegenwart gern all jenen Versuchen aus, sie noch einmal mit den alten Mitteln der Moderne zu befremden, zu brüskieren oder zu belehren, also den Versuchen, ein vergangenes Verhältnis zwischen geistig vorausgeeiltem Autor und aufzuklärender Öffentlichkeit wiederherzustellen. Denn jener Teil des Publikums, der durch Literatur überhaupt zu erreichen ist, spürt sehr wohl, wie fadenscheinig die Gewißheiten geworden sind, auf die entsprechende Poetiken gegründet sind, wie sehr die Autorität der Autoren gelitten hat in einer Zeit, in der die großen Wahrheiten nicht auszumachen sind.

Mit anderen Worten: Den Schriftstellern und Kritikern sind inzwischen auch hierzulande in den gewöhnlichen Lesern ernstzunehmende Partner erwachsen; Partner, die nicht auf Sinnstiftung oder Unterweisung aus sind, sondern auf Literatur und Kunst; Partner, mit deren Ansichten über »poetische Ehren« man im Einklang stehen kann, ohne damit intellektuell Schande auf sich zu laden oder sich selbst als naiv zu entlarven.

Um so bemerkenswerter ist, nebenbei gesagt, daß die Lebenswelt jener gewöhnlichen Leser, also das Milieu einer gut ausgebildeten Mittelschicht (diese, zugegeben, wenig überraschende Erkenntnis legen zwei in jüngster Zeit unabhängig voneinander erstellte Repräsentativumfragen nahe[4]), in der deutschsprachigen Literatur der siebziger und achtziger Jahre nur eine marginale Rolle spielte. Die Schriftsteller wenden sich, von einigen, zumeist älteren Autoren abgesehen, wie etwa Gabriele Wohmann oder Martin Walser, in ihren Romanen oder Erzählungen eher dem Außenseiter, dem an die Peripherie der Gesellschaft gedrängten Einzelgänger zu als dem in die vielfältigen Netze des Alltags eingebundenen Mittelständler. Mit dem Ergebnis, daß man aus der Prosa jener Zeit so manches lernen konnte über sozial Deklassierte und neurotisierte Eigenbrötler, über gescheiterte Rebellen, isolierte Träumer oder andere Sonderlinge, aber nur wenig über die Träume der Büroangestellten, den Pragmatismus des Familienvaters oder das gemeinsam ergraute, müdegestrittene Ehepaar – also nur wenig erfahren konnte über jenes Milieu, das Mitteleuropa heute weitgehend prägt.

Solche Nachrichten aus der Normalität müßten ja für die beteiligten Figuren nicht schmeichelhaft ausfallen; im Gegenteil, neue, fremde Perspektiven dürften weitaus erhellender und reizvoller sein. Doch »unsere Literatur kennt nicht«, wie Josef Haslinger einmal in einem Essay aufzählte, »die Freuden des angepaßten Lebens, den glückhaften Konsumrausch in Einkaufszentren, das erwartungsvolle Herzklopfen des Karrieristen, das himmlische Aufatmen des erfolgreichen Arschkriechers, das Widerstandsflair des doppelten Parteibuchs, die zärtliche, selbstverliebte Innenseite der zur Schau getragenen Härte des Pflichtbewußtseins, die Familie als seelische Reinigungsanstalt, das Vergessen als die schönste Beschäftigung des angenehmen Lebens.«[5]

Es ist, kurz gesagt, für jene gewöhnlichen Leser nicht leicht, von deutschsprachigen Schriftstellern etwas über das eigene Leben und die eigene gesellschaftliche Rolle in Erfahrung zu bringen. Doch das Bedürfnis, das eigene uneindeutige, wirre und von Zweifeln durchzogene Leben bei der Lektüre mit entsprechenden Beschreibungen und undogmatischen Deutungsvorschlägen zeitgenössischer Autoren zu vergleichen, ist mit Sicherheit ebenso berechtigt wie der Wunsch, von einem Autor in eine fremde, bislang unbekannte und geheimnisvolle Welt – im geographischen, sozialen oder auch psychischen Sinn – entführt zu werden. Falls aber hierzulande einen Leser das Bedürfnis nach einer literarischen Exkursion durch die Normalität und das Labyrinth des westlich geprägten Mittelstands überkommen sollte, so ist er oft genug auf ausländische, zumal englischsprachige Erzähler angewiesen, die von Margaret Atwood bis Saul Bellow, von Joyce Carol Oates bis Philip Roth, von John Updike bis Joseph Heller, von Richard Ford bis Jayne Anne Phillips, von David Leavitt bis Ethan Canin (und vielen anderen) dieses Feld mit größter Hingabe und Sorgfalt bestellen.

Vorgeschichte einer Debatte

Wie unterhaltsam ist die neue deutsche Literatur? Sind andere, fremdsprachige Literaturen unterhaltsamer? Und: Soll Literatur überhaupt unterhaltsam sein? Die letzte Frage klingt rhetorisch. Eine positive Antwort scheint sich von selbst zu verstehen. Dennoch gibt es seit ein paar Jahren Streit über sie, wie über die beiden anderen auch.

Der Streit ist nicht ganz neu. Zumindest hat er Vorläufer in der Literaturgeschichte der Bundesrepublik. So setzte sich Alfred Andersch beispielsweise 1968 energisch für die englische Literatur ein, die er manchem vorzog, was in Deutschland oder Frankreich erschien. Obwohl der englische Roman, so konstatierte Andersch, offenkundige Qualitäten habe, finde er hierzulande nicht die Anerkennung, die ihm zustehe: »Da er eigensinnig darauf besteht, Beziehungen und Konflikte zwischen Menschen darzustellen, Charaktere und ihre seelischen Regungen zu schildern, eine spannende Handlung zu entwickeln, historische und soziale Zusammenhänge scharf zu zeichnen und darüber hinaus die Individualität seines Verfassers zu spiegeln, eignet er sich nicht recht als Modell für pseudo-metaphysische Programme. Er ist überhaupt nicht programmatisch, sondern human, eine Eigenschaft, die allein schon genügt, ihn als veraltet denunzieren zu dürfen; daß er außerdem noch *du métier* ist, wie die Franzosen sagen, die das ihre verlernt haben, macht ihn höchst unbequem. Gewisse Kreise möchten ihn deshalb am liebsten ins Gebiet des gehobenen Unterhaltungsromans abschieben, und diese Richtung des Literatur-Terrors hat es schon sehr weit gebracht.«[6]

Drei Jahre danach, 1971, fragte Andersch dann in einem Essay, wie trivial der sogenannte Trivialroman tatsächlich sei. In seinen Augen verfügte die Unterhaltungsliteratur, auch wenn er ihre offenkundigen Schwächen nicht beschönigte, über unleugbare Stärken: Sie sei immerhin, was man nicht von allen Werken unserer Klassiker behaupten könne, in der Regel »lesbar, verständlich und spannend geschrieben«[7]. Sie entfalte deshalb nicht zuletzt eine sozial integrierende Kraft, die er nicht unterschätzt sehen wollte: »Alle Schichten der Bevölkerung lasen diese Blätter; die Romane übten nicht eine trennende, sondern eine vereinigende Wirkung aus.«[8] Es versteht sich, daß sich Andersch mit solchen Interventionen hierzulande nicht nur Freunde machte.

Ein anderes frühes Zeugnis des Streits um die Lesbarkeit der neuen deutschen Literatur stammt von Marcel Reich-Ranicki. Er stellte 1980 fest: »Wir haben ein blühendes literarisches Leben, unsere Literatur hat alles, was sie braucht, um zu gedeihen. Aber gedeiht sie? Oder sollte es gar so sein, daß wir drauf und dran sind, ein literarisches Leben ohne Literatur zu haben?« Die deutschsprachigen Neuerscheinungen jener Jahre waren seiner Ansicht nach zwar »einigermaßen bemerkenswert«, aber letztlich doch enttäuschend: »Warum lassen sich diese Bücher nur mühevoll zu Ende lesen? Vielleicht deshalb, weil sie, besser oder schlechter geschrieben, uns nicht treffen [...]. Wer so einschläfernd schreibt, ist nicht konkurrenzfähig.«[9] Obwohl Reich-Ranicki einzelne Bücher und Autoren von dem harschen Urteil ausnahm, wurde er für seine Überlegungen, wie zuvor Andersch, heftig und lange angefeindet.

1989 kam dann Hans Magnus Enzensberger mit Blick auf die deutschsprachige Lyrik der achtziger Jahre zu einem Urteil, das an Deutlichkeit nichts zu wünschen übrigließ. Ihr artistischer wie intellektueller Rang machte ihn spürbar ungeduldig, und er zog eine ernüchternde Bilanz: »Daß sich die meisten der zitierten Texte mit der Wiederaufbereitung ausgebrannten Materials begnügen, liegt auf der Hand, und daß dieses lyrische Recycling alle Standards der Vorlagen unterbietet, kann nicht überraschen. Neu ist dagegen, daß sich die herkömmliche Opposition von ›traditioneller‹ und ›experimenteller‹ Dichtung in Dilettantismus auflöst.« Um einer »freiwilligen Provinzialisierung« der deutschen Poesie zu entkommen, riet er, wie Andersch, dringend zum Vergleich mit den Literaturen anderer Länder. Doch »haben es sich«, resümierte Enzensberger, »die deutschen Dichter der achtziger Jahre offenbar abgewöhnt, von der Außenwelt Notiz zu nehmen. Vermutlich wissen sie gar nicht, was heute in Polen oder Irland, in der Sowjetunion oder in den Vereinigten Staaten geschrieben wird.«[10]

Der Schriftsteller Maxim Biller prägte schließlich 1991 den Begriff des »gefeierten zeitgenössischen ›Rezensentenbuchs‹«. Es werde zwar von Kritikern besprochen und gelobt, erfreue sich so kurzzeitig eines geisterhaften Ruhms, doch werde es von fast niemandem gekauft oder gelesen. Entstanden sei in Deutschland so eine Literatur, die zwar das Wohlwollen der Fachleute genieße, aber mehr und mehr um sich selbst kreise. »Es ist eine Literatur, die keinen berührt, mitreißt und fasziniert, eine Literatur, die nur mehr auf den Seiten der Feuilletons und Kulturspalten stattfindet«.[11] Während Andersch, Reich-Ranicki und Enzensberger wegen ihrer Thesen zumeist nur unterschwellig und mit Seitenhieben attackiert worden waren, griff man Biller in den Wochen nach der Publikation seiner Polemik direkt an. Es entwickelte sich in der Zürcher *Weltwoche* und anderen Zeitungen eine umfangreiche Debatte, an der sich vor allem jüngere Kritiker und Autoren beteiligten und in der Biller auch Verteidiger fand; der Streit begann.[12]

Zwei Jahre später, 1993, versammelte dann die Zeitschrift *Neue Rundschau* in einem Heft (3/Jg. 104) zehn Beiträge, deren Autoren sowohl nach den ästhetischen Qualitäten wie nach der Unterhaltsamkeit der neueren deutschen Literatur fragten. Auch an diesen Aufsätzen entzündete sich eine umfangreiche, oft polemisch geführte Diskussion.[13] Der Streit flammte auf, und er dauert bis heute an, und er vermischte sich bald mit Kontroversen über einschlägige Artikel, die nun in verschiedenen Tageszeitungen veröffentlicht wurden.

»Ja, Spaß will der deutsche Trauerkloß, immer, überall, rund um die Uhr.« – Dieser Satz, das muß ich zugeben, hat mich beschäftigt. Er stammt aus einem Artikel, in dem sich Rolf Michaelis unter anderem mit einem Aufsatz von mir in dem besagten Heft der *Neuen Rundschau*[14] beschäftigt. Er kritisiert darin eine Tendenz unseres Kulturbetriebs, große Werke der bildenden Kunst, der Literatur oder der Musik in Hinsicht auf ihre rein dekorativen, zerstreuenden, belustigenden Qualitäten auszuschlachten und in Einzelteilen zu verwerten. Ein Verfahren, das einem, wer wollte Michaelis da widersprechen, das Grausen lehren kann. Doch der hier zitierte Satz enthält eine Andeutung, die darüber hinausweist. Sie läuft, zugespitzt formuliert, auf die Behauptung hinaus, jedes Volk habe letztlich die Kultur, die es verdient; der deutsche Trauerkloß also eine düstere, traurige, weltabgewandte, und eine andere, unbeschwerte und sinnliche, sei ihm einfach nicht gemäß. Tatsächlich weisen ja die verschiedenen Nationalliteraturen gewisse, über Jahrhunderte hinweg entstandene Einfärbungen auf, die in einem flotten universalistischen Einheitston zu übertünchen nicht wünschenswert und wohl auch gar nicht möglich ist. Was soll also dann das Gerede über vermeintliche Schwächen der deutschen Literatur, wenn es sich dabei am Ende doch um ihre Eigenarten handelt?

Doch das Argument trifft meines Erachtens nicht den Kern der Sache. Denn zum einen scheint mir der gewöhnliche Leser hierzulande keineswegs mehr diesem vermeintlichen Nationalcharakter zu entsprechen. Er unterscheidet sich in seinen Lektüregewohnheiten offenbar nicht sehr von den gewöhnlichen Lesern anderer westlich geprägter Demokratien, denn er bevorzugt in auffälligem Maße die dort entstandene Literatur – eine Beobachtung, die ja gerade zu den Ausgangspunkten meiner Überlegungen gehört. Zum anderen geht es doch vielmehr um die Frage, ob sich die Bewußtseinslage in den westlich geprägten, kulturell verschieden vorgefärbten Ländern seit jener Zeit, in der die Klassiker der Moderne ihre bewundernswerten Bücher schrieben, verändert hat und ob diese Veränderungen heute andere ästhetische Ausdrucksformen gerechtfertigt erscheinen lassen als damals. Hieran schließt sich die Frage an, ob in Deutschland in den letzten zwei bis zweieinhalb Jahrzehnten, aus welchen Gründen auch immer, wesentliche literarische Entwicklungen versäumt wurden und ob die ausländischen Literaturen *deshalb* die gewöhnlichen Leser gegenwärtig stärker herauszufordern und zu interessieren vermögen als die deutsche. Selbstverständlich können auf diese Fragen verschiedene Antworten gegeben werden, und keine Antwort wird ganz frei sein von Spekulationen – doch ein Hinweis auf die Verschiedenheit der »Nationalcharaktere« reicht als Antwort gewiß nicht aus.

Drittens halte ich es für wichtig, daß die wesentlichen ästhetischen Begriffe in der Diskussion nicht allzusehr verwässert werden. Natürlich ist es dumm und ärgerlich, wenn ein Kunstwerk portionsgerecht zubereitet und wie Party-Häppchen angeboten wird. Doch darauf zielt die These, daß große Literatur immer auch unterhaltende Qualitäten habe, eben nicht. Sie möchte vielmehr daran erinnern, daß es, um es mit dem Wort Nadolnys zu sagen, zu den vitalen Selbstverständlichkeiten der Kunst und der Literatur gehört, beim Publikum Lust zu erregen – und daß es, wenn sich diese Lust beim besten Willen nicht einstellt, durchaus legitim ist, darüber nachzudenken, ob es sich bei den entsprechenden Werken um Kunst und Literatur handelt. Dieses spezifisch ästhetische Vergnügen darf aber nicht mit billiger Belustigung verwechselt werden; eine Unterscheidung, die bei der Formulierung der These detailliert dargelegt wurde[15] und die bei Einwänden dagegen nicht einfach über Bord geworfen werden sollte (die Einwände richten sich auffallend oft gegen Behauptungen, die nie aufgestellt wurden). Zudem kann jenes ästhetische Vergnügen, um noch einmal auf

Schiller zurückzukommen, auch durch tragische Gegenstände hervorgerufen werden. Es ist also sehr wohl möglich, sogar deutsche Trauerklöße zu beglücken; oder genauer formuliert: Die Fähigkeit, dieses geradezu anthropologische Vergnügen hervorzurufen, ist – unabhängig von den verschiedenen kulturellen Einfärbungen – kennzeichnend für die großen Werke aller Nationalliteraturen.

Jedes Milieu hat, wie gesagt, seine Tabus – auch der deutsche Kulturbetrieb. Die Behauptung, die Literatur habe nicht nur das Recht, sondern auch die Pflicht, dem Leser Vergnügen zu bereiten, scheint ein solches Tabu zu verletzen. Zumindest erlebte die *Neue Rundschau*, als einige ihrer Beiträger, auch ich, im Heft 3/Jg. 104[16] diese These aufstellten, ein erstaunliches und heftiges Medienecho[17]. Es waren darunter zustimmende oder anerkennend abwägende Reaktionen, etwa von Hermann Kurzke, Harry Nutt und Wolfram Schütte; oder auch Artikel wie der von Rolf Michaelis, die mit sympathischem Ingrimm gegen die beschriebene Ausschlachtung der Kultur zu Felde zogen, dabei aber einem gründlichen Mißverständnis aufsaßen und vor zentralen, ausdrücklich hervorgehobenen Differenzierungen die Augen schlossen, sobald sie Beiträgern jenes Heftes unterstellten, solchen Ausschlachtungstendenzen das Wort zu reden.

Daneben gab es vor allem Polemik. Insbesondere wurde die Bereitschaft angegriffen, im Zusammenhang mit anspruchsvoller Literatur überhaupt von Verkaufszahlen zu sprechen[18]. Man unterstellte den betreffenden Beiträgern, mir vor allem, zugunsten des ökonomischen Erfolgs alle ästhetischen Maßstäbe preiszugeben, obwohl wiederholt betont worden war, daß Erfolg keineswegs als literarisches Gütesiegel zu betrachten sei – Mißerfolg allerdings auch nicht[19]. Unberücksichtigt ließen diese Kritiker also den eigentlichen Impuls, dem es nicht um wirtschaftliche Rücksichten ging, nicht darum, Bücher an die Käufer zu bringen, sondern Literatur an die Leser. Und zwar aus dem einfachen

Grund, weil – wenn große Worte erlaubt sind – es gut ist, wenn Literatur gelesen wird. Weil Bücher Leser brauchen. Weil Autoren Leser brauchen.

Der einzige Polemiker, der sich auf den empirischen Ansatz meiner Überlegungen einläßt, ist der Suhrkamp-Verleger Siegfried Unseld. Er bestreitet in seinem Artikel die Ausgangsthese, die jüngere deutsche Literatur habe das Publikum verloren, denn sie habe nie »ein breiteres Publikum«[20] gehabt. Er nennt dann einige Autoren, die, wie Martin Walser, Peter Weiss, Thomas Bernhard oder Peter Handke, einige Jahre gebraucht haben, bevor sie bei den Lesern Anerkennung fanden. Er verschweigt aber, daß ich diese Autoren ebenfalls erwähnt und explizit zu jenen zählte, die bis heute das Profil der deutschsprachigen Literatur wesentlich mitbestimmen. Sie haben ihre schriftstellerische Karriere allerdings deutlich vor jener merkwürdigen Scheidelinie in der Erfolgsgeschichte der deutschen Literatur zu Anfang der siebziger Jahre begonnen – sind also mithin eher Belege für meine Beobachtungen als Gegenbeispiele. Aus der Zeit danach führt Unseld nur ein einziges Buch an, daß eine größere Zahl von Lesern erreicht hat: *Infanta* von Bodo Kirchhoff. Doch das hatte ich gleichfalls genannt als eine von fünf Ausnahmen zu der von mir aufgestellten Regel – was Unseld wiederum zu erwähnen vergißt.

Dafür stellt er gegen Ende seines Artikels fest: »Die Entwicklung der Literatur ist mit der historischen Situation verbunden; sie vollzieht sich wellenförmig, in Hochs und Tiefs.« Eine schwer bestreitbare, weil sehr allgemeine Aussage – und nach dem zuvor angeführten Zustandsbericht dürfte sich auch in den Augen Unselds die deutschsprachige Literatur gegenwärtig nicht in einem Hoch befinden. Er hält die Situation also offensichtlich ebenfalls für bedenklich, spricht es aber nur verklausuliert aus – doch mit vagen Umschreibungen werden sich die Gründe für die herrschenden Probleme kaum ausmachen lassen.

Unter den Polemikern waren auch einige, die in Andeu-

tungen oder expressis verbis die literarische Moderne verteidigen. Mit ihnen hätte die Debatte am interessantesten werden können. Doch leider beschränken sie sich darauf,
pauschale Grundsatzerklärungen abzugeben und auf ein-
gehende Argumente zu verzichten. So meint Heinrich
Vormweg, ein »realitätsorientierter Erzähler« könne sich
nicht aus der Moderne »lösen; weil sie schlicht die Epoche
bedeutet, in der er schreibt. Drückt er sich am Schreibtisch
aus dieser davon, so ist er gleichsam ein anderer Ganghofer,
eine andere Marlitt, einer der Romanciers ablenkender
Unterhaltung, die es ja bekanntlich in großer Zahl gibt«[21].
Das ist sicher nicht falsch, aber: Was ist hier mit Moderne
gemeint – die gesellschaftliche oder literarische Moderne?
Wie verhalten sich beide zueinander? Hat sich die Moderne
seit ihrer Blütezeit am Anfang dieses Jahrhunderts transfor-
miert? Ist es folglich angebracht, über eine Postmoderne
nachzudenken? All diese Fragen bleiben in Vormwegs
umfangreichem Aufsatz unberücksichtigt. Er ignoriert vollständig die einschlägigen Ideen von John Barth oder Italo
Calvino, von Eco oder Nadolny. Statt dessen wirft er seinen
Gegnern vor, aus »dumpfen politischen und ökonomischen
Interessen«[22] eine gezielte »Literaturzerstörung« ins Werk zu
setzen, genauer: die Sache »der Industrie, des Geldes und
ererbten Besitzes«, dieser »ach so realen Mächte«[23] zu betreiben. Im gleichen Atemzug empfiehlt er als literarisches
Gegengewicht zu solch kapitalistischen Machenschaften
Bertolt Brecht – ohne auf Brechts emphatisches Engage-
ment für die Unterhaltung in der Kunst, wie es im *Kleinen
Organon* programmatisch formuliert ist, mit einem Satz einzugehen.

Daneben macht sich Vormweg vor allem stark für »konkrete und experimentelle Literatur«, deren Höhepunkt er
auf die »Zeit vor und um 1970«[24] datiert. Leider führt er
nicht aus, durch welche Qualitäten sich diese literarische
Stömung im verflossenen Vierteljahrhundert ausgezeichnet
hat. Bei anderer Gelegenheit schrieb er allerdings, die experi-

mentelle Literatur basiere »auf einer veränderten Vorstellung von Sprache, die als bindendes, begrenzendes, ans Gewohnte fesselndes Medium definiert wird – nach dem Motto von Oswald Wiener: ›... das alphabet jedenfalls kommt von der obrigkeit ...‹, und deshalb primär als Objekt der Destruktion.«[25] Der Gedanke, die Literatur und Sprache selbst zum Reflexionsgegenstand des Schriftstellers zu machen, ist auch der Postmoderne nicht fremd. Doch ersetzt sie zugleich – und steht in diesem Punkt mit den Erkenntnissen der neueren Soziologie[26] im Einklang – die Vorstellung einer in Obrigkeit und Unterdrückte, in Täter und Opfer geschiedenen Gesellschaft durch das Bild dicht vernetzter und wechselweise korrespondierender Interessenstrukturen.

Die konkrete Literatur selbst hat die Folgen einer solchen dichten Vernetzung anschaulich gemacht. Schon 1967 wies Peter Handke darauf hin, wie rasch neue Schreibweisen heute zu alltäglichem sprachlichen Material werden: »Einiger Methoden der konkreten Poesie hat sich die Werbung bemächtigt. [...] Die Methode der Wortspiele verstehen Wochenschau und ›Spiegel‹ oft noch kindischer zu handhaben als mancher Wortspieler.«[27] Eine literarische Strömung, die den alten Machtgegensatz zwischen Herrschern und Knechten kritisieren will, wie Vormweg ausführt, wird durch die vielfältigen Kanäle der Gesellschaft absorbiert und problemlos in das Netzwerk der Kommunikation eingespeist – was keineswegs heißen muß, daß sie folgenlos bleibt. Sie verliert aber ihren zunächst exklusiven Status. Handke hat das hellsichtig erkannt, auch wenn er im Sinne der Postmoderne die falschen Konsequenzen aus seiner Einsicht zog. Die nämlich möchte sich angesichts jenes rasanten Prozesses nicht auf ein Rennen zwischen Hase und Igel einlassen und zu immer neuen Innovationsversuchen, Brüchen und Verfremdungen Zuflucht nehmen. Sie will vielmehr den Prozeß und seine Auswirkungen zunächst einmal ohne Total-Verdikte und Bannsprüche darstellen. So erzählt Don DeLillo

in seinem Roman *Weißes Rauschen* (1984, dt.1987) zum
Beispiel von einem Mädchen, das im Schlaf immer wieder
»Toyota Corolla, Toyota Celica, Toyota Cressida«[28] mur-
melt, als handele es sich um ein Mantra oder einen trostrei-
chen Psalm. Es sind supranationale Produktnamen, die von
Werbetechnikern nach Methoden entwickelt wurden, die
den Verfahren der konkreten Literatur nicht unähnlich sind.
In einem Interview erklärt er dazu: »Bestimmte Wörter und
Sätze, die durch unser Leben treiben, haben etwas fast
Mystisches. Das ist Computer-Mystizismus. Wörter, die
vom Computer gemacht sind, für Produkte, die irgendwo
zwischen Japan und Dänemark verkäuflich sein sollen –
Wörter, die so erfunden werden, daß sie in hundert Sprachen aussprechbar sind. Und wenn Sie eines dieser Wörter
von dem Produkt loslösen, dem es ursprünglich dienen sollte, wird das Wort zu etwas wie einem Sprechgesang. [...]
Wenn Sie sich auf den Klang konzentrieren, wenn Sie die
Wörter von dem Gegenstand, den sie bezeichnen, abtrennen
und Sie diese Wörter immer wieder sagen, werden sie zu
einer Art höherem Esperanto. So hat ›Toyota Celica‹ sein
Leben begonnen. Es war anfangs einfach ein reiner Sprech-
klang.«[29]

Wie dieses Detail zeigt, ist die Postmoderne keineswegs
darauf aus, die modernen Schreibtechniken pauschal beiseite zu schieben. Sie baut vielmehr auf ihnen auf und verknüpft sie – die alten ästhetischen Konfrontationen auflö-
send – zugleich mit traditionellen Erzählweisen. In diesem
Sinne kann man *Weißes Rauschen* auch als einen (allerdings
rabenschwarz grundierten) Familienroman aus der amerikanischen Mittelschicht lesen. Die Anhänger der experimentellen Literatur würden also durchaus Ansatzpunkte für eine
fruchtbare Diskussion postmoderner Positionen finden,
zum Beispiel bei Raymond Federman oder William H.
Gass. Doch ziehen sie es hierzulande zumeist vor, wie leider
auch der Aufsatz Heinrich Vormwegs belegt, von der Postmoderne keine Notiz zu nehmen und sich ersatzweise in

bemerkenswerten politischen Verdächtigungen zu ergehen.

Eben diesem Schema folgte auch eine Intervention von Sibylle Cramer, in der sie die Debatte zu resümieren versucht. Sie legt, wie Vormweg, zunächst ein Bekenntnis zu den »klassischen Avantgarden« ab und erklärt sie zum »Sammelbecken korrespondierender Kunstrichtungen, die disparate Geschichtserfahrungen verarbeiten von den Materialschlachten des Ersten Weltkriegs über die Psychoanalyse bis zur Auflösung des Atoms und zur Linguistik Saussures«[30] – und schweigt sich dann, wie Vormweg, darüber aus, ob es seither historische Entwicklungen gegeben hat, die eine Revision mancher Grundüberlegungen der Moderne nötig machen könnten. Sie zieht es statt dessen vor, ein gereinigtes Porträt der modernen Literatur zu zeichnen: »Die Gegenüberstellung von Diskursen, das Aufbrechen der Romanstimmen nach innen, diese Polyphonie verhindert totalisierende Strukturen und Ideologiebildungen im Text.« Sie bleibt allerdings Erklärungen dafür schuldig, weshalb einerseits Schreibweisen, die seit Charles Dickens diese »Gegenüberstellung von Diskursen« im Rahmen des traditionellen Erzählens leisten, als vormodern gelten sollen und weshalb andererseits auffällig viele Schriftsteller der Moderne, von Pound bis Marinetti, von Majakowski bis Breton, von Aragon bis Alberti und Auden, eine so auffällige Neigung zu totalitären Ideologien zeigten.

Sibylle Cramer bezeichnet ihre Gegner als »Altdeutsche«, die auf der »restaurativen Seite« stünden und auf ein »Bedürfnis nach deutscher Identität« spekulierten – und rückt sie so in die Nähe nationalistischer Überzeugungen. Da es immer mißlich ist, auf Angriffe dieser Art einzugehen oder gar mit politischen Beteuerungen auf sie zu reagieren, möchte ich mich in diesem Punkt von einem Anwalt vertreten lassen, von Friedrich Nietzsche. Auch wenn mir Nietzsches Machtphantasien und seine notorische Absicht, den Europäern die Leitung und Überwachung der gesamten Erdkultur in die Hände zu geben, nicht behagen, scheint

171

mir der folgende Gedanke von ihm brauchbar: »Die letzte Grenze, welche Aristoteles der großen Stadt erlaubte – es müsse der Herold noch imstande sein, sich der ganzen versammelten Gemeinde vernehmbar zu machen –, diese Grenze kümmert uns so wenig, als uns überhaupt noch Stadtgemeinden kümmern, uns, die wir selbst über die Völker hinweg verstanden werden wollen. Deshalb muß jetzt ein jeder, der gut europäisch gesinnt ist, *gut und immer besser schreiben* lernen: es hilft nichts, und wenn er selbst in Deutschland geboren ist, wo man das Schlechtschreiben als nationales Vorrecht behandelt. Besser schreiben aber heißt zugleich auch besser denken; immer Mitteilenswerteres erfinden und es wirklich mitteilen können; übersetzbar werden für die Sprachen der Nachbarn; zugänglich sich dem Verständnisse jener Ausländer machen, welche unsere Sprache lernen [...]. Wer das Gegenteil predigt, sich nicht um das Gut-schreiben und Gut-lesen zu kümmern – beide Tugenden wachsen miteinander und nehmen miteinander ab -, der zeigt in der Tat den Völkern einen Weg, wie sie immer noch mehr *national* werden können: er vermehrt die Krankheit dieses Jahrhunderts und ist ein Feind der guten Europäer, ein Feind der freien Geister.«[31]

Anmerkungen

Für die Lust an der Literatur

1   Zu den neuesten Umsatzzahlen des deutschen Buchandels siehe: *Börsenblatt* des deutschen Buchhandels, Heft 54 vom 8.Juli 1994, S.5. Die Allensbacher Studie wird ausführlich vorgestellt in: *Börsenblatt des deutschen Buchhandels*, Heft 14 vom 17.Februar 1995, S.10-13.

2   Charles Baudelaire, *Ratschläge für junge Literaten*, in: Charles Baudelaire, *Der Künstler und das moderne Leben*, Leipzig (Reclam) 1990, S.10.

3   Friedrich Schiller, *Über den Grund des Vergnügens an tragischen Gegenständen*, in: Friedrich Schiller, *Sämtliche Werke*, Band 5, München (Hanser) 1980, S.358-359.

4   Immanuel Kant, *Kritik der Urteilskraft*, § 22, Frankfurt am Main (Suhrkamp) 1974, S.160.

5   Georg Bollenbeck beschreibt diesen Prozeß in einem 1994 erschienenen Buch ähnlich: Die modernen Begriffe »Bildung« und »Kultur« dienten, schreibt Bollenbeck, im rückständigen Deutschland des 18.Jahrhunderts als Mittel zur Aufholjagd gegenüber den hochentwickelten westeuropäischen Nationen und als integrierende Gegenkräfte angesichts der politischen Zersplitterung. Zugleich aber wird der weiträumigere Kulturbegriff englischer und französischer Herkunft, der sowohl die Lebensverhältnisse wie die Ökonomie mit umfaßt, in Deutschland nachdrücklich abgelehnt: Die praxisnahe Erziehung und die »Zivilisation« avancieren hierzulande zu Gegenbegriffen zu den deutschen Vorstellungen von »Bildung« und »Kultur«. Mit der verhängnisvollen Folge, daß »Bildung« und »Kultur« zwar das Feld für eine wirtschaftlich-technische Modernisierung Deutschlands bereiten, das deutsche Bürgertum den praktischen Folgen dieser Entwicklung aber immer hilfloser und feindlicher gegenübersteht. Das Wunschbild einer »reinen« Bildung und Kultur, in dem Politik und Ökonomie als minderwertig betrachtet werden, erschwert es diesem Bürgertum, sich auf die veränderte Realität einzustellen, und bringt es dazu, auf die Moderne mit veralteten Vorstellungen zu antworten – was im 19. und 20. Jahrhundert die Neigung zu autoritären politischen Lösungen unterstützt. (Vgl. Georg Bollenbeck, *Bildung und Kultur. Glanz und Elend eines deutschen Deutungsmusters*, Frankfurt am Main 1994).

6   Heiner Müller, *Theater-Arbeit*, Berlin (Rotbuch) 1975, S.124.

7   Vgl. hierzu: Hans Magnus Enzensberger, *Die Aporien der Avantgarde*, in: Hans Magnus Enzensberger, *Einzelheiten II*, Frankfurt am Main (Suhrkamp) 1984, S.50-80.

8   Peter Handke, *Phantasien der Wiederholung*, Frankfurt am Main (Suhrkamp) 1983, S.99.

9   Walter Benjamin, *Der Erzähler*, in: Walter Benjamin, *Gesammelte Schriften*, Band II.2, Frankfurt am Main (Suhrkamp) 1980, S.443.

10 Walter Benjamin, *Krisis des Romans*, in: Walter Benjamin, *Gesammelte Schriften*, Band III, Frankfurt am Main (Suhrkamp) 1972, S.230-236.

11 E. L. Doctorow, *Falsche Dokumente*, in: Utz Riese (Hg.), *Falsche Dokumente. Postmoderne Texte aus den USA*, Leipzig (Reclam) 1993, S.435-451.

12 Sten Nadolny, *Selim oder Die Gabe der Rede*, München (Piper) 1990, S.282.

13 Günter Grass, *Blechtrommel*, Frankfurt am Main (Fischer) 1972, S.9.

14 Umberto Eco, *Nachschrift zum ›Namen der Rose‹*, München (Hanser) 1983, S.82.

15 Christa Wolf, *Lesen und Schreiben, in:* Christa Wolf, *Die Dimension des Autors*, Darmstadt/Neuwied (Luchterhand) 1987, S.496.

16 Julian Barnes, *Flauberts Papagei*, Zürich (Haffmans) 1987, S.125-126.

17 Hans Magnus Enzensberger, *Mittelmaß und Wahn*, Frankfurt am Main (Suhrkamp) 1988, S.55.

18 Ebenda S.60.

19 Vgl.: Heinz Ludwig Arnold, *Die drei Sprünge der westdeutschen Literatur*, Göttingen (Wallstein) 1993; und: Lothar Baier, *Was wird Literatur?*, Wien (Wespennest) 1993.

Über das Schreiben ohne Gewißheit

1 Georg Lukács, *Die Theorie des Romans*, Frankfurt am Main (Luchterhand) 1988, S.32.

2 Ebenda S.25.

3 Ebenda S.47.

4 Ebenda S.25.

5 Ebenda S.17.

6 Ebenda S.16.

7 Wolfgang Welsch, *Unsere postmoderne Moderne*, Weinheim (VCH) 1991³, S.5.

8 Ebenda S.5.

9 Jean-François Lyotard, *Das postmoderne Wissen*, Wien (Passagen) 1993², S.16.

10 Zygmunt Bauman, *Moderne und Ambivalenz*, Frankfurt am Main (Fischer) 1995, S.333.

11 Zur Genealogie des Begriffs Postmoderne siehe: Wolfgang Welsch, *Unsere postmoderne Moderne*, a.a.O., S.9-43; Heinz-Günter Vester, *Soziologie der Postmoderne*, München (Quintessenz) 1993, S.9-21; und Ingeborg Hoesterey, *Verschlungene Schriftzeichen*, Frankfurt am Main (Athenäum) 1988, S.130-163.

12 Leslie A. Fiedler, *Überquert die Grenze, schließt den Graben!*, in: Wolfgang Welsch (Hg.), *Wege aus der Moderne*, Weinheim (VCH) 1988, S.57.

13 Rolf Dieter Brinkmann, *Angriff aufs Monopol*, in: *Christ und Welt* vom 15.November 1968. Ebenfalls in: Uwe Wittstock (Hg.), *Roman oder Leben*, Leipzig (Reclam) 1994, S.69.

14   Heinrich Klotz, *Moderne und Postmoderne*, Braunschweig/Wiesbaden 1985, S.425.

15   Wolfgang Welsch, *Unsere postmoderne Moderne*, a.a.O., S.90.

16   John Barth, *Die Literatur der Wiederbelebung*, in: Utz Riese (Hg.), *Falsche Dokumente*, Leipzig (Reclam) 1993, S.358.

17   Charles Jencks, *Post-Modern und Spät-Modern*, in: Utz Riese (Hg.), *Falsche Dokumente*, a.a.O., S.251-286.

18   John Barth, *Die Literatur der Wiederbelebung*, a.a.O., S.359-360.

19   Leslie A.Fiedler, *Überquert die Grenze, schließt den Graben!*, a.a.O., S.58.

20   Hermann Hesse / Thomas Mann, *Briefwechsel*. Herausgegeben von Anni Carlsson und Volker Michels, Frankfurt am Main (Fischer) 1988², S.25-26.

21   Ebenda S.23.

22   Umberto Eco, *Nachschrift zum ›Namen der Rose‹*, a. a. O., S.77.

23   Der größte Teil der Debatte wird dokumentiert in: Uwe Wittstock (Hg.), *Roman oder Leben*, a.a.O., S.11-77.

24   Hanns-Josef Ortheil hat früh auf diese erste kurze postmoderne Blüte hingewiesen. Vgl.: Hanns-Josef Ortheil, *Schauprozesse*, München (Piper) 1990, S.106-128.

25   Walter Boehlich, *Autodafé*, in: *Kursbuch*, Heft 15/1968. Siehe dazu im gleichen Heft auch Karl Markus Michel, *Ein Kranz für die Literatur*. Vor dem Hintergrund derart drastischer Thesen wurden Hans Magnus Enzensbergers behutsamer abwägende *Gemeinplätze, die Neueste Literatur betreffend* im gleichen Heft oft ebenfalls als pauschaler Nachruf auf die Literatur gelesen.

26   Die Adorno-Preisrede: Jürgen Habermas, *Die Moderne – ein unvollendetes Projekt*, in: Jürgen Habermas, *Kleine politische Schriften I-IV*, Frankfurt am Main (Suhrkamp) 1981, S.444-464. Die beiden folgenden Aufsätze: Jürgen Habermas, *Moderne und postmoderne Architektur* und *Die Kulturkritik der Neokonservativen in den USA und in der Bundesrepublik*, in: Jürgen Habermas, *Die Neue Unübersichtlichkeit*, Frankfurt am Main (Suhrkamp) 1985, S.11-56. Vgl. hierzu Ingeborg Hoestereys Kritik an Habermas' folgenreicher Verdammung der Postmoderne in *Verschlungene Schriftzeichen*, a.a.O., S.148-157; ebenso Wolfgang Welsch, *Unsere postmoderne Moderne*, a.a.O., S.106-111.

27   Andreas Huyssen/Klaus R. Scherpe, *Postmoderne – Zeichen eines kulturellen Wandels*, Reinbek (Rowohlt) 1986; und: Hanns-Josef Ortheil, *Was ist postmoderne Literatur?* erschien zuerst unter dem Titel *Das Lesen – ein Spiel. Postmoderne Literatur? Die Literatur der Zukunft*, in: *Die Zeit* vom 17. April 1987; vollständig in: Hanns-Josef Ortheil, *Schauprozesse*, a.a.O., S.106-115.

28   John Barth, *Die Literatur der Wiederbelebung*, a.a.O., S.361.

29   Ulrich Woelk, *Freigang*, Frankfurt am Main (Fischer) 1990, S.209.

30   Vgl. Paul Michael Lützeler, *Von der Präsenz der Geschichte. Postmoderne Konstellationen in der Erzählliteratur der Gegenwart*, in: *Neue Rundschau*, Jg.104, Heft 1/1993, S.91-106, hier S.98.

31   Immanuel Kant, *Kritik der Urteilskraft*, Frankfurt am Main (Suhrkamp) 1974, Anmerk 54, S.273.

32   Umberto Eco, *Der Name der Rose*, München (dtv) 1986, S.620-626.

33   Vgl. hierzu: Dominik Müller, *Widerspruchsfreiheit ist eine Mangelerscheinung. Spiel, Engagement und Postmoderne bei Hans Magnus Enzensberger*, in: *Schweizer Monatshefte*, 73.Jahr/Heft 4, April 1993, S.308-324.

34   Bernd Eilert, Rita Mühlbauer, Hanno Rink, *Bettgeschichten*, Aarau und Frankfurt am Main (Sauerländer) 1981, S.7.

35   Judith Ryan, *Pastiche und Postmoderne*, in: Paul Michael Lützeler (Hg.), *Spätmoderne und Postmoderne*, Frankfurt am Main (Fischer) 1991, S.96.

36   Dagmar Leupold, *Edmond: Geschichte einer Sehnsucht*, Frankfurt am Main (Fischer) 1992, S.148.

37   Sten Nadolny, *Das Erzählen und die guten Absichten*, München (Piper) 1990, S.124.

Das souveräne Erzählen und die Hühnerknochen

1   Sten Nadolny, *Selim oder Die Gabe der Rede*, München (Piper) 1990, S.340-341. Im Folgenden als *Selim* mit Seitenangabe im Text zitiert.

2   Sten Nadolny, *Die Entdeckung der Langsamkeit*, München (Piper) 1983, S.20. Im Folgenden als *Langsamkeit* mit Seitenangabe im Text zitiert.

3   Sten Nadolny, *Netzkarte*, München (dtv) 1984, S.11.

4   Sten Nadolny, *Ein Gott der Frechheit*, München (Piper) 1994, S.274. Im Folgenden als *Gott* mit Seitenangabe im Text zitiert.

5   Sten Nadolny, *Das Erzählen und die guten Absichten*, München (Piper) 1990, S.31. Im Folgenden als *Erzählen* mit Seitenangabe im Text zitiert.

6   Sten Nadolny, *Roman oder Leben – ?*, in: *Neue Rundschau*, Jg.104, Heft 3/1993, S.12.

7   Ebd., S.17.

8   Ebd., S.16.

9   Vgl. hierzu vor allem Christa Wolf, *Kassandra*, Darmstadt/Neuwied (Luchterhand) 1983; Christa Wolf, *Störfall*, Darmstadt/Neuwied (Luchterhand) 1987; und Günter Grass, *Die Rättin*, Darmstadt/Neuwied (Luchterhand) 1986.

10   Claudio Magris hat darauf hingewiesen, daß Nadolnys Roman nicht als bruchlose Zivilisationskritik verstanden werden kann. Vgl. Claudio Magris, *Verteidigung der Gegenwart. Sten Nadolnys »Die Entdeckung der Langsamkeit«*, in: Paul Michael Lützeler (Hg.), *Spätmoderne und Postmoderne*, Frankfurt am Main (Fischer) 1991, S.82-90.

11   Vgl. Hanns-Josef Ortheil, *Schauprozesse. Beiträge zur Kultur der 80er Jahre*, München (Piper) 1990.

12   Vgl. Italo Calvino, *Kybernetik und Gespenster*, München (Hanser) 1984. Darin vor allem der Aufsatz *Philosophie und Literatur*.

13   Vgl. Umberto Eco, *Nachschrift zum ›Namen der Rose‹*, München (Hanser) 1984.

14   Vgl. unter anderem: Don DeLillo, *Mao II*, Köln (Kiepenheuer & Witsch) 1992. S.183; und *Kennedy wurde im Film erschossen, Oswald im Fernsehen*, Adam Begley im Gespräch mit Don DeLillo, in: *Neue Rundschau*, Jg.106, Heft 2/1995, S.98.

15   Umberto Eco, *Nachschrift zum ›Namen der Rose‹*, a.a.O., S.80.

Der Autor, nichts als der Autor

1   Vgl. Paul Michael Lützeler, *Von der Präsenz der Geschichte*, a.a.O., insbesondere S.97, 99, 102 und 105; außerdem: Jerome Klinkowitz/James Knowlton, *Peter Handke and the Postmodern Transformation*, Columbia, 1983. Peter Handke hat jüngst in einem Interview den Begriff Postmoderne für sein Werk ausdrücklich abgelehnt. Siehe: *Gelassen wär' ich gern. Der Schriftsteller Peter Handke über sein neues Werk, über Sprache, Politik und Erotik*, in: *Der Spiegel* vom 5.Dezember 1994, S.170.

2   Vgl. Christa Wolf, *Lesen und Schreiben*, in: Christa Wolf, *Die Dimension des Autors*, Darmstadt/Neuwied (Luchterhand) 1987, S.484-486; und: Peter Handke, *Ich bin ein Bewohner des Elfenbeinturms*, in: Peter Handke, *Prosa Gedichte Theaterstücke Hörspiel Aufsätze*, Frankfurt am Main (Suhrkamp) 1969, S.264.

3   Christa Wolf, *Was bleibt*, Frankfurt am Main (Luchterhand) 1990, S.27.

4   Christa Wolf, *Subjektive Authentizität*, in: Christa Wolf, *Die Dimension des Autors*, a.a.O., S.778.

5   Ebenda, S.780.

6   Vgl. Thomas Anz (Hg.), *Es geht nicht um Christa Wolf*, Frankfurt am Main (Fischer) 1994.

7   Christa Wolf, *Lesen und Schreiben*, a.a.O., S.483-484.

8   Julian Barnes, *Flauberts Papagei*, Zürich (Haffmans) 1987, S.125-126.

9   Christa Wolf, *Lesen und Schreiben*, a.a.O., S.488.

10   Vgl. Christel Zahlmann, *Kindheitsmuster: Schreiben an der Grenze des Bewußtseins*, in: Wolfram Mauser, *Erinnerte Zukunft. 11 Studien zum Werk Christa Wolfs*, Würzburg (Königshausen & Neumann) 1985, S.141-160.

11   Christa Wolf, *Störfall*, Darmstadt/Neuwied (Luchterhand) 1987, S.46.

12   Peter Handke, *Ich bin ein Bewohner des Elfenbeinturms*, a.a.O., S.269-270.

13   Ebenda, S.264.

14   Peter Handke, *Die Angst des Tormanns beim Elfmeter*, Frankfurt am Main (Suhrkamp) 1970, S.105.

15   Peter Handke, *Die Stunde der wahren Empfindung*, Frankfurt am Main (Suhrkamp) 1975, S.100.

16   Peter Handke, *Der Chinese des Schmerzes*, Frankfurt am Main (Suhrkamp) 1983, S.107.

17   Peter Handke, *Mein Jahr in der Niemandsbucht*, Frankfurt am Main (Suhrkamp) 1994, S.316-317.

18 Peter Handke, *Über die Dörfer*, Frankfurt am Main (Suhrkamp) 1984, S.111 – 112.

19 Peter Handke, *Das Gewicht der Welt*, Salzburg und Wien (Residenz) 1977, S.5.

20 Peter Handke, *Langsame Heimkehr*, Frankfurt am Main (Suhrkamp) 1984, S.19.

21 Ebenda S.117. Siehe hierzu auch die Beschreibung Salzburgs durch den Erzähler in Peter Handkes *Der Chinese des Schmerzes* (S.149): »Ich jedenfalls brauche das Zentrum, und ich brauche es, wie es ist. Mein Platz ist die Mitte.«

22 Peter Handke, *Der Chinese des Schmerzes*, a.a.O., S.127-128.

23 Peter Handke, *Die Stunde der wahren Empfindung*, a.a.O., S.133.

24 Peter Handke, *Über die Dörfer*, a.a.O., S.113. Vgl. dazu auch Handkes *Nachmittag eines Schriftstellers*, Salzburg und Wien (Residenz) 1987, S.40-49. Hier projiziert Handke die Aggression des empfindsamen Einzelgängers gegen die Durchschnittsbürger auf eben diese Durchschnittsbürger: Der »Schriftsteller« fühlt sich während eines Spaziergangs in Salzburg durch die Blicke und Bemerkungen zufälliger Passanten regelrecht gefoltert.

25 »*Ich möchte leben im guten Sinne – höher, weiter*«. *Peter Handke über Leben, Schreiben, die Poesie der Vorstädte – und den Bürgerkrieg*, in: *Frankfurter Rundschau* vom 31.Dezember 1994, S.8. Man sieht, an Handkes Grundüberzeugungen hat sich zwischen 1967 und 1994 nicht viel geändert.

26 Sten Nadolny, *Roman oder Leben – ?*, in: *Neue Rundschau*, Jg.104, Heft 3/1993, S.12.

27 Peter Handke, *Ich bin ein Bewohner des Elfenbeinturms*, a.a.O., S.267.

28 Christa Wolf, *Lesen und Schreiben*, a.a.O., S.488.

29 Peter Handke, *Versuch über die Jukebox*, Frankfurt am Main (Suhrkamp) 1990, S.24-25.

30 Peter Handke, *Nachmittag eines Schriftstellers*, a.a.O., S.7.

31 Umberto Eco, *Nachschrift zum ›Namen der Rose‹*, München (Hanser) 1984, S.79.

32 Sten Nadolny, *Das Erzählen und die guten Absichten*, München (Piper) 1990, S.88.

33 Reinhard Baumgart, *Aussichten des Romans oder Hat Literatur Zukunft?*, Neuwied/Berlin 1968, S.63.

34 Jürgen Becker, *Gegen die Erhaltung des literarischen status quo*, in: *Sprache im technischen Zeitalter*, Heft 9-10/1964, S.698.

Planspiele

1 Zum schwierigen Generationsverhältnis und insbesondere zur so umfangreichen Väterliteratur jener Jahre siehe: Michael Schneider, *Väter und Söhne, posthum*, in: *Den Kopf verkehrt aufsetzen oder Die melancholische Linke*, Darmstadt/Neuwied (Luchterhand) 1981, S.8-64; und Sylvia Adrian, *Im Brachland* *der Gefühle,* in: Volker Hage (Hg.), *Deutsche Literatur 1981. Ein Jahresüberblick,* Stuttgart (Reclam) 1982, S.241-247.

2   Ein prachtvolles Beispiel für literaturkritische Gemeinplätze der Neuen Subjektivität ist Siegfried Wollseifens Aufsatz *Herzergießungen eines weltfremden Wehleiders,* in: *Frankfurter Rundschau* vom 30. April 1982.

3   Ulrich Woelk, *Freigang,* Frankfurt am Main (Fischer) 1990. Im Folgenden als *Freigang* mit Seitenzahl im Text zitiert.

4   Ulrich Woelk, *Rückspiel,* Frankfurt am Main (Fischer) 1993. Im Folgenden als *Rückspiel* mit Seitenzahl im Text zitiert.

5   Helden hinter Glas: Selbst wenn man unberücksichtigt läßt, daß Woelks Hauptfiguren sich oft in Autos oder Telefonzellen befinden, wo sie durch Rundumverglasung von ihrer Umwelt getrennt sind, ist die Zahl der Szenen, in denen sie ihren Platz explizit hinter ebenso explizit beschriebenen Fenstern einnehmen, erstaunlich hoch: In *Freigang* auf den Seiten 60, 111, 117, 139, 147, 155, 160, 161, 162, 167, 168, 178-179, 181, 214, 232. In *Rückspiel* auf den Seiten 15, 30, 47-48, 55, 68, 83, 90, 98, 109, 119, 136-137, 141, 152, 159, 162, 174, 214, 278, 294.

6   Zu den sozialen und politischen Problemen in den Zeiten des Zweifels und der Kontingenz vgl.: Zygmunt Bauman, *Moderne und Ambivalenz,* Frankfurt am Main (Fischer) 1995.

7   Vor allem Ihab Hassan betont die »Karnevalisierung« der Verhältnisse, die »fröhliche Relativität« der Dinge in der Postmoderne. Vgl. Ihab Hassan, *Postmoderne heute,* in: Wolfgang Welsch (Hg.), *Wege aus der Moderne,* Weinheim (VCH) 1988, S.53. Im Vergleich hierzu zeigt Woelks Beschreibung der Postmoderne entschieden weniger übermütige Züge.

8   Vgl. Ihab Hassan, *The Postmodern Turn,* Columbus (Ohio State University) 1987, S.49.

9   Hayden White, *Metahistory,* Frankfurt am Main (Fischer) 1991, S.20. Auffällig sind die Parallelen zwischen der skizzierten Arbeit des Geschichtsschreibers und Sten Nadolnys Aufriß der Grundlagen des literarischen Erzählens in seiner Poetikvorlesung: Ein Autor muß, so meint Nadolny als gelernter Historiker, zunächst einmal Einzelheiten konstituieren, von denen er erzählen will, und sie dann in einen sinnvollen Zusammenhang rücken. »Es wird bei einer Nummer eins angefangen, und dann kommen zwei, drei und so weiter, so daß eine Reihe mit Anfang und Ende entsteht, eine Strecke sozusagen, die man dann, immer wieder in dieser Folge, entlangfahren kann. Erzählen ist ein Her-Zählen« (*Das Erzählen und die guten Absichten,* S.48). Was noch einmal die von White herausgestellte enge Verwandtschaft zwischen Historiker und Romancier unterstreicht.

10   Paul Valéry, *Cahiers / Hefte 5,* Frankfurt am Main (Fischer) 1992, S.592.

11   Ebenda S.507.

12   Ebenda S.555.

13   Hayden White, *Metahistory,* a.a.O., S.15.

14   Paul Valéry, *Cahiers / Hefte 5,* a.a.O., S.485.

15   Ebenda, S.512.

16   Ulrich Woelk, *Tod Liebe Verklärung*, Frankfurt am Main (Fischer) 1992, S.81-91.

17   Paul Valéry, *Cahiers / Hefte 5*, a.a.O., S.525.

18   Klaus Modick, *Das Grau der Karolinen*, Reinbek (Rowohlt) 1986, S.107.

19   Vgl. beispielsweise Frank Lucht, »*Erkennen Sie die Melodie?*«, in: *Merkur*, Heft 451-452/1986, S.892-897. Auf Lucht antwortet Harry Nutt, *Kürzelkritik und Kritik des Kürzels*, in: *die tageszeitung* vom 29.September 1986.

20   Jeanette Winterson, *Orangen sind nicht die einzige Frucht*, Frankfurt am Main (Fischer) 1993, S.135.

21   Graham Swift, *Waterland*, Hildesheim (Claassen) 1993, S.162-163.

Vom Duft der Literatur

1   Vgl. unter anderem: Marcel Reich-Ranicki, *Des Mörders betörender Duft*, in: *Frankfurter Allgemeine* vom 2. März 1985; Michael Fischer, *Ein Stänkerer gegen die Deo-Zeit*, in: *Der Spiegel* vom 4. März 1985; Beatrice von Matt, *Das Scheusal als Romanheld*, in: *Neue Zürcher Zeitung* vom 15. März 1985; Gerhard Stadelmeier, *Lebens-Riechlauf eines Duftmörders*, in: *Die Zeit* vom 15. März 1985; Joachim Kaiser, *Viel Flottheit und Phantasie*, in: *Süddeutsche Zeitung* vom 28. März 1985; Wolfram Schütte, »*Parfum*« *und Unmenschlichkeit*, in: *Frankfurter Rundschau* vom 5.Juli 1985.

2   Vgl. unter anderem: Wolfgang Hallet, *Das Genie als Mörder*, in: *Literatur für Leser 1989*, S.275-288; Judith Ryan, *Pastiche und Postmoderne*, in: Paul Michael Lützeler (Hg.): *Spätmoderne und Postmoderne*, Frankfurt am Main (Fischer) 1991, S.91-103; Manfred R.Jacobson, *Partick Süskind's* ›*Parfum*‹ *A Postmodern* ›*Künstlerroman*‹, in: *German Quarterly*, Heft 65/1992, S.201-211; Werner Frizen, *Das gute Buch für jedermann oder Verus Prometheus*, in: *Deutsche Vierteljahresschrift*, Heft 4/1994, S.757-786.

3   Immanuel Kant, *Kritik der Urteilskraft*, 46, Frankfurt am Main (Suhrkamp) 1974, S.241-242.

4   Patrick Süskind, *Das Parfum*, Zürich (Diogenes) 1985, S.36-37. Im Folgenden als *Parfum* mit Seitenangabe im Text zitiert.

5   Werner Frizen, *Das gute Buch für jedermann oder Verus Prometheus*, a.a.O., S.771-775.

6   Max Horkheimer/Theodor W. Adorno, *Dialektik der Aufklärung*, in: Max Horkheimer, *Gesammelte Schriften*, Band 5, Frankfurt am Main (Fischer) 1987, S.49.

7   Thomas Mann, *Bruder Hitler*, in: Thomas Mann, *Gesammelte Werke in dreizehn Bänden*, Frankfurt am Main (Fischer) 1990, *Reden und Aufsätze*, Band 4, S.851.

8   Vgl. hierzu Wolfram Schütte, »*Parfum*« *und Unmenschlichkeit*, a.a.O.

9   Judith Ryan, *Pastiche und Postmoderne*, a.a.O., S.92.

10   *Kennedy wurde im Film erschossen, Oswald im Fernsehen*, Adam Begley im Gespräch mit Don DeLillo, in: *Neue Rundschau*, Jg.106, Heft 2/1995, S.96.
11   Patrick Süskind, *Der Kontrabaß*, Zürich (Diogenes) 1984, S.94.

Für den gewöhnlichen Leser

1   Virginia Woolf, *Der gewöhnliche Leser*, Frankfurt am Main (Fischer) 1989, S.7. Die Übersetzung von Samuel Johnsons literaturkritischem Bekenntnis wird nach diesem Aufsatz Virginia Woolfs zitiert.
2   Wolfgang Welsch, *Unsere postmoderne Moderne*, Weinheim (VCH) 1991[3], S.90.
3   Eine der wenigen überzeugenden Definitionen, welche Ziele die Literatur der Moderne verfolgt, stammt von Italo Calvino – sie ist offen für die enorme Vielgestaltigkeit des Phänomens, meidet aber dennoch die üblichen Verschwommenheiten und bemüht sich um eine präzise Charakteristik: »Das Hauptanliegen der modernen Literatur liegt in ihrem Bewußtsein, all das in Worte zu fassen, was im gesellschaftlichen oder individuellen Unbewußten ungesagt geblieben ist: Dies ist die Herausforderung, der sie sich ständig stellt. Je mehr Licht und Wohlstand es in unseren Häusern gibt, desto mehr Gespenster kriechen aus ihrem Mauerwerk; die Träume von Fortschritt und Rationalität werden von Albträumen heimgesucht.« Italo Calvino, *Kybernetik und Gespenster. Überlegungen zu Literatur und Gesellschaft*, München (Hanser) 1984, S.20.
4   Vgl.: Stiftung Lesen (Hg.), *Leseverhalten in Deutschland 1992/93. Repräsentativstudie zum Lese- und Medienverhalten der erwachsenen Bevölkerung im vereinigten Deutschland*, Mainz 1993; und: Börsenverein des deutschen Buchhandels (Hg.), *Erfolgsfaktor »Zufriedene Kunden«*, Frankfurt am Main 1995.
5   Josef Haslinger, *Der proletarische Selbst-Zerstörungsroman*, in: Josef Haslinger, *Wozu brauchen wir Atlantis*, Wien (Löcker) 1990, S.16.
6   Alfred Andersch, *Auf der Suche nach dem englischen Roman*, in: *Frankfurter Allgemeine* vom 21.September 1968; wiederabgedruckt in: Gerd Haffmans (Hg.), *Das Alfred Andersch Lesebuch*, Zürich (Diogenes) 1979, S.169.
7   Alfred Andersch, *Wie trivial ist der Trivialroman?*, in: *Süddeutsche Zeitung* vom 13.November 1971; wiederabgedruckt in: Gerd Haffmans (Hg.), *Das Alfred Andersch Lesebuch*, a.a.O., S.176.
8   Ebenda, S.183.
9   Marcel Reich-Ranicki, *Der Kaiser ist nackt, oder: Über den Herbst unserer Literatur*, in: *Frankfurter Allgemeine* vom 7.Oktober 1980.
10   Hans Magnus Enzensberger, *Meldungen vom lyrischen Betrieb*, in: *Frankfurter Allgemeine* vom 14.März 1989.
11   Maxim Biller, *Soviel Sinnlichkeit wie der Stadtplan von Kiel*, in: *Die Weltwoche* vom 25.Juli 1991.
12   Einige der Debattenbeiträge sind gesammelt in: Franz Josef Görtz, Volker

183

Hage, Uwe Wittstock (Hg.), *Deutsche Literatur 1992. Ein Jahresüberblick*, Stuttgart (Reclam) 1993, S.281-331.

13 Einige der Debattenbeiträge sind gesammelt in: Franz Josef Görtz, Volker Hage, Uwe Wittstock (Hg.), *Deutsche Literatur 1993, Ein Jahresüberblick*, Stuttgart (Reclam) 1994, S.322-346.

14 Rolf Michaelis, *Die öde Spaß-Gesellschaft*, in: *Die Zeit* vom 3.September 1993. Michaelis bezieht sich auf den Aufsatz: Uwe Wittstock, *Ab in die Nische?*, in: *Neue Rundschau*, Jg.104, Heft 3/1993, S.45-58.

15 Vgl. Uwe Wittstock, *Ab in die Nische?*, a.a.O., S.52-53.

16 Siehe *Neue Rundschau*, Jg.104, Heft 3/1993, Dossier: *Literatur im Abseits – und wie sie herauskommt*, S.9-118.

17 Vgl. unter anderem: M.Oe., *Nur noch Romane für Trüffelschweine*, in: *Kölner Stadtanzeiger* vom 22.Juni 1993; Rainer Hoffmann, *»... und es wäre kaum ein richtiges Leben«*, in: *Neue Zürcher Zeitung* vom 13.Juli 1993; Matthias Kross, *Lernt von Disneyland!*, in: *Der Tagesspiegel* vom 17.Juli 1993; Michael Buselmeier, *Kein Vergnügen*, in: *Frankfurter Rundschau* vom 17.Juli 1993; Helmut Böttiger, *Konsumentenvergnügen*, in: *Frankfurter Rundschau* vom 29.Juli 1993; Wolfram Schütte, *Leservergnügen*, in: *Frankfurter Rundschau* vom 29.Juli 1993; Hermann Kurzke, *Allerlei apokalyptische Apfelbäumchen*, in: *Frankfurter Allgemeine* vom 31.Juli 1993; Michael Braun, *Das Krisen-Lamento*, in: *Freitag* vom 6.August 1993; Harry Nutt, *Abseitsfalle umspielen*, in: *die tageszeitung* vom 17.August 1993; Siegfried Unseld, *Literatur im Abseits?*, in: *Frankfurter Allgemeine* vom 18.August 1993; Heinz Ludwig Arnold, *Ach, wie amüsant!*, in: *Die Woche* vom 2.September 1993; Rolf Michaelis, *Die öde Spaß-Gesellschaft*, a.a.O.; Steffen Jacobs, *Noch ein Gedicht*, in: *Deutsches Allgemeines Sonntagsblatt* vom 10.September 1993; Mirjam Schaub, *Ein Betriebsunfall*, in: *die tageszeitung* vom 20.September 1993; Paolo di Stefano, *Francoforto: caccia aperta ai diari dei Grandi*, in: *Corriere della Sera* vom 11.Oktober 1993; *Erzähler müssen her!*, in: *Der Spiegel* vom 17.Januar 1994. Als Reaktion auf diese Debatte entstand mein Aufsatz *Autoren in der Sackgasse*, der in der *Süddeutschen Zeitung* vom 26.Februar 1994 erschien. Auf ihn und auf die Debatte bezogen sich dann unter anderem die folgenden Artikel: Heinrich Vormweg, *Literaturzerstörung*, in: Jörg Drews (Hg.), *Vergangene Gegenwart – Gegenwärtige Vergangenheit*, Bielefeld (Aisthesis) 1994, S.309-324; Sibylle Cramer, *Kreuzzüge und Kahlschläge deutscher Kritiker*, in: *Süddeutsche Zeitung* vom 9.November 1994; und Jochen Schimmang, *Der Autor als Hund an der langen Leine*, in: *Süddeutsche Zeitung* vom 7. Dezember 1994.

18 Vgl. vor allem: Matthias Kross, *Lernt von Disneyland!*, a.a.O.; Helmut Böttiger, *Konsumentenvergnügen*, a.a.O.; Heinz Ludwig Arnold, *Ach, wie amüsant!* a.a.O.; Heinrich Vormweg, *Literaturzerstörung*, a.a.O., S.318.

19 Vgl.: Uwe Wittstock, *Ab in die Nische?*, a.a.O., S.46-47.

20 Siegfried Unseld, *Literatur im Abseits?*, a.a.O.

21 Heinrich Vormweg, *Literaturzerstörung*, a.a.O. S.314.

22 Ebenda S.320.

23 Ebenda S.310.

24 Ebenda S.318.

25 Heinrich Vormweg, *Eine andere Lesart*, Neuwied/Berlin (Luchterhand) 1972, S.85.

26 Vgl. beispielsweise Heinz-Günter Vester, *Soziologie der Postmoderne*, München (Quintessenz) 1993; und Zygmunt Bauman, *Moderne und Ambivalenz*, Frankfurt am Main (Fischer) 1995; außerdem: *Neue Rundschau*, Jg.106, Heft 3/1995, Dossier: *Hilflose Wissenschaft*, hier vor allem: Helmut Dubiel, *Die verstummten Erben*, S.64-75.

27 Peter Handke, *Ich bin ein Bewohner des Elfenbeinturms*, in: Peter Handke, *Prosa Gedichte Theaterstücke Hörspiel Aufsätze*, Frankfurt am Main (Suhrkamp) 1969, S.265.

28 Don DeLillo, *Weißes Rauschen*, München (dtv) 1989, S.184.

29 *Kennedy wurde im Film erschossen, Oswald im Fernsehen*, Adam Begley im Gespräch mit Don DeLillo, in: *Neue Rundschau*, Jg.106, Heft 2/1995, S.99.

30 Sibylle Cramer, *Kreuzzüge und Kahlschläge deutscher Kritiker*, a.a.O.

31 Friedrich Nietzsche, *Menschliches, Allzumenschliches*, in: Friedrich Nietzsche, *Werke I*, herausgegeben von Karl Schlechta, München (Hanser) 1969, S.915-916.

Autorenregister

Adorno, Theodor W. 26
Aichinger, Ilse 10
Alberti, Rafael 171
Andersch, Alfred 10, 161–163
Aragon, Louis 171
Atwood, Margaret 160
Auden, Wystan Hugh 171
Auster, Paul 63–65
Bachmann, Ingeborg 10
Barnes, Julian 32, 96
Barth, John 43, 47, 48, 50, 54, 57, 168
Baudelaire, Charles 15, 149
Bauman, Zygmunt 42
Baumgart, Reinhard 112
Becker, Jürgen 112
Bellow, Saul 160
Benjamin, Walter 26, 29, 133
Benn, Gottfried 46
Bernhard, Thomas 10, 167
Biermann, Wolf 95
Biller, Maxim 163
Bloch, Ernst 26
Böll, Heinrich 10
Borchardt, Rudolf 150
Brecht, Bertolt 24, 46, 168
Breton, André 46, 171
Brinkmann, Rolf Dieter 44, 53, 58
Bronnen, Barbara 116
Calvino, Italo 49, 54, 83, 168
Canin, Ethan 160
Céline, Louis-Ferdinand 46
Cervantes Saavedra, Miguel de 21
Chamisso, Adelbert von 149
Claudius, Matthias 149
Condillac, Étienne Bonnot de 145
Cramer, Sibylle 171
d'Alembert, Jean-Baptiste
    le Rond 145

DeLillo, Don 49, 57, 84, 152–154, 169–170
Dickens, Charles 171
Diderot, Denis 142, 145
Döblin, Alfred 29
Doctorow, E. L. 29
Dürrenmatt, Friedrich 10
Eco, Umberto 30, 47, 48, 50, 52, 57, 58, 83, 85, 111, 168
Eichendorff, Josef Freiherr von 149
Eilert, Bernd 58
Eluard, Paul 46
Enzensberger, Hans Magnus 10, 32– 33, 37, 58, 162–163
Erlenberger, Maria 115
Federman, Raymond 57, 170
Fichte, Hubert 53
Fiedler, Leslie A. 43, 44, 47, 50–51, 52–53, 84
Flaubert, Gustav 32
Ford, Richard 160
Frisch, Max 10, 115, 135
Frizen, Werner 142
García Márquez, Gabriel 14
Gass, William H. 170
Gauch, Sigfrid 116
Gernhardt, Robert 58
Goethe, Johann Wolfgang von 25, 37, 49, 133, 149
Grass, Günter 10, 29, 77, 149
Habermas, Jürgen 54
Hamann, Johann Georg 149
Handke, Peter 10, 11, 28, 53, 91–92, 101–113, 167, 169
Haslinger, Josef 160
Hassan, Ihab 43, 126
Hein, Christoph 34
Heine, Heinrich 49
Heller, Joseph 160

Henisch, Peter 116
Hesse, Hermann 51–52
Hoffmann, E.T.A. 149
Homer 49
Huysmans, Joris K. 149
Huyssen, Andreas 54
Jandl, Ernst 22
Jencks, Charles 48
Johnson, Samuel 155–156
Johnson, Uwe 10
Joyce, James 49
Jünger, Ernst 150
Kafka, Franz 23
Kant, Immanuel 19, 21, 24, 34,
    57–58, 141–142
Keller, Gottfried 23
Kirchhoff, Bodo 34, 167
Kleist, Heinrich von 23
Klotz, Heinrich 44
Krüger, Michael 57
Kundera, Milan 14, 49
Kunert, Günter 10
Kurzke, Hermann 166
Leavitt, David 160
Lenz, Siegfried 10
Lessing, Gotthold Ephraim 7
Leupold, Dagmar 60–61
Lukács, Georg 26, 39–40
Lyotard, Jean-François 41
Majakowski, Wladimir 46, 171
Man, Paul de 50
Mann, Thomas 21, 25, 49, 51–52,
    139, 149, 150, 155
Marinetti, Filippo Tommaso 171
Marx, Karl 40
Meckel, Christoph 116
Merian, Svende 115
Michaelis, Rolf 164–166
Mitscherlich, Alexander
    und Margarete 133
Modick, Klaus 56, 57, 132–135
Müller, Heiner 10, 26
Nabokov, Vladimir 91
Nadolny, Sten 29, 34, 56, 61, 65,

67–89, 108–109, 111, 116, 148,
    165, 168
Neruda, Pablo 46
Nietzsche, Friedrich 40, 149,
    171–172
Nooteboom, Cees 14
Novak, Helga M. 116
Novalis 149
Nutt, Harry 166
Oates, Joyce Carol 160
Ortheil, Hanns-Josef 54
Petersdorff, Dirk von 58
Phillips, Jayne Anne 160
Plessen, Elisabeth 116
Pound, Ezra Loomis 46, 171
Ransmayr, Christoph 34, 49, 56
Rehmann, Ruth 116
Reich-Ranicki, Marcel 162–163
Remarque, Erich Maria 139
Rilke, Rainer Maria 149
Rimbaud, Jean Nicolas Arthur 149
Robbe-Grillet, Alain 91
Rorty, Richard 67
Roth, Philip 160
Rühmkorf, Peter 10, 58
Rushdie, Salman 14
Ryan, Judith 59, 150
Scherpe, Klaus R. 54
Schiller, Friedrich 18–20, 24, 166
Schmidt, Arno 10
Schmitt, Carl 150
Schneider, Robert 59–60
Schnitzler, Arthur 139
Schütte, Wolfram 166
Schutting, Jutta 116
Schwaiger, Brigitte 116
Seuren, Günter 116
Shakespeare, William 21, 49
Sontag, Susan 43
Strauß·, Botho 11
Struck, Karin 115
Süskind, Patrick 34, 48, 59–60,
    139–154
Swift, Graham 136

Unseld, Siegfried 167–168
Updike, John 160
Valéry, Paul 130–132
Vargas Llosa, Mario 14
Voltaire 145
Vormweg, Heinrich 168–171
Walser, Martin 10, 159, 167
Weber, Max 40
Weiss, Peter 10, 167
Welsch, Wolfgang 40–41, 46–47,
    157
White, Hayden 127–129, 130
Winterson, Jeanette 136
Woelk, Ulrich 55–56, 117–135
Wohmann, Gabriele 159
Wolf, Christa 10, 31, 77, 91-101,
    107–109, 112–113
Woolf, Virginia 156–157
Zweig, Arnold 40

Nachweise

Das vorliegende Buch nimmt Bezug auf eine publizistische Debatte über Lesbarkeit und Unterhaltsamkeit der neuen deutschsprachigen Literatur. Es enthält unter anderem einige Überlegungen, die ich im Rahmen dieser Diskussion vorgetragen und nun für das Buch in eine Form gebracht habe, die meine Argumente, so hoffe ich, über die Diskussion hinaus bedenkenswert erscheinen lassen. – Das Kapitel *Für die Lust an der Literatur* greift zurück auf meinen Aufsatz *Ab in die Nische?* (*Neue Rundschau*, Jg. 104, Heft 3/1993) und den Artikel *Autoren in der Sackgasse* (*Süddeutsche Zeitung* von 26. Februar 1994); beide Texte wurden überarbeitet und erweitert. In das Kapitel *Über das Schreiben ohne Gewißheit* sind Teile der Nachbemerkung zu der von mir zusammengestellten Anthologie *Roman oder Leben. Postmoderne in der deutschen Literatur* (Leipzig 1994) und des Artikels *Vor der Geburt neuer Welten?* (*Süddeutsche Zeitung* vom 14. Februar 1992) eingegangen; auch in diesem Fall wurden beide Texte überarbeitet und ergänzt. Das Kapitel *Das souveräne Erzählen und die Hühnerknochen* fußt auf meinem Aufsatz *Der Autor und der Leser* (*Poetik der Autoren. Beiträge zu deutschsprachigen Gegenwartsliteratur*, herausgegeben von Paul Michael Lützeler, Frankfurt am Main 1994, S. 262-278), der für das vorliegende Buch ebenfalls überarbeitet und aktualisiert wurde. Die vier Kapitel *Der Autor, nichts als der Autor* (hier sind Gedanken über Christa Wolf aus meinem Buch *Von der Stalinallee zum Prenzlauer Berg. Wege der DDR-Literatur 1949 – 1989*, München 1989, aufgenommen worden), *Planspiele* und *Vom Duft der Literatur* sowie *Für den gewöhnlichen Leser* sind bislang unpubliziert.

U.W.

Uwe Wittstock, geboren 1955, war von 1980 bis 1989 Literaturredakteur der *Frankfurter Allgemeinen Zeitung* und ist seit 1989 Lektor im S. Fischer Verlag und Mitherausgeber der Zeitschrift *Neue Rundschau*. Er veröffentlichte unter anderem eine Monographie über *Franz Fühmann* (München, 1988), ein Buch über die DDR-Literatur, *Von der Stalinallee zum Prenzlauer Berg* (München 1989), mehrere Anthologien und Materialienbände über Günter de Bruyn, Wolfgang Hilbig und Gerhard Roth.